九年义务教育三年制初级中学教科书

代　数

第三册

人民教育出版社中学数学室

人民教育出版社

顾　　问：丁石孙　丁尔升　梅向明
张玺恩　张孝达
主　　编：吕学礼　饶汉昌　蔡上鹤
副 主 编：袁明德
编 写 者：贾云山　袁明德　饶汉昌
责任编辑：蔡上鹤　袁明德

说　明

一、这套九年义务教育三年制初级中学教科书《代数》第一至三册（其中第一册分上、下两册），是根据国家教委颁发的《九年义务教育全日制小学、初级中学课程计划（试行）》、《九年义务教育全日制初级中学数学教学大纲（试用）》编写的.

二、本书从1992年秋季起，在全国二十几个省、自治区、直辖市的数十万学生中进行了试验，并于1994年经国家教委中小学教材审定委员会审查通过.

三、本书是《代数》第三册，内容包括一元二次方程、函数及其图象和统计初步等三章，供六三制初中三年级全学年使用，上学期每周2课时，下学期每周2课时.

四、本书在体例上有下列特点：

1. 每章均有一段配有插图的引言，可供学生预习用，也可作为教师导入新课的材料.

2. 每小节前均有一方框，对学生概要地提出了学习本小节的基本要求.

3. 在课文中适当穿插了“想一想”与“读一读”等栏目. 其中“想一想”是供学生思考的一些问题，“读一读”是供学生阅读的一些短文. 这两个栏目是为扩大知识面、增加趣味性而设的，其中的内容不作为教学要求，只供学生课外参考.

4. 每章后面均安排有“小结与复习”，其中的学习要求是对学生学完全章后的要求，它略高于小节前的要求.

5. 每章最后均配有一套“自我测验题”，用作学生自己检查学完这一章后，能否达到这一章的基本要求.

6. 全书最后附有部分习题的答案，供学生在做习题后，能及时进行对照，大致了解自己解题正确与否.

7. 本书的习题分为练习、习题、复习题三类. 练习供课内巩固用；习题供课内或课外作业选用；复习题供复习每章时选用. 其中习题、复习题的题目分为 A，B 两组，A 组是属于基本要求范围的，B 组带有一定的灵活性，仅供学有余力的学生选用.

五、本书在编写过程中征求了部分教师和教研人员的意见，在此向北京市的王占元、明知白、田逎惠、彭广仁，天津市的烟学敏、梁汝芳、吕学林，辽宁省的魏超群，吉林省的李浩明，江苏省的万庆炎，安徽省的薛凌和湖北省的冯善庆等同志表示衷心的感谢.

人民教育出版社中学数学室

1994 年 10 月

目　录

---

[1] 本节是选学内容.

本书数学符号

$+$	加号，正号
$-$	减号，负号
$\times$ 或 $\cdot$	乘号
$\div$	除号
$:$	比号
$\%$	百分号
$\sqrt{\quad}$	二次根号
$\sqrt[3]{\quad}$	三次根号
$\sqrt[n]{\quad}$	n 次根号
$=$	等号
$<$	小于号
$>$	大于号
$\leqslant$	小于或等于号
$\geqslant$	大于或等于号
$\approx$	约等号
$\neq$	不等号
$\|\quad\|$	绝对值号
$(\quad)$	小括号
$[\quad]$	中括号
$\{\quad\}$	大括号

第十二章　一元二次方程

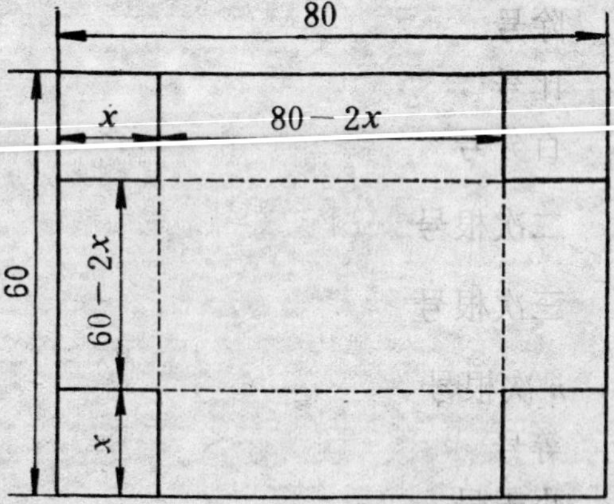

(1)

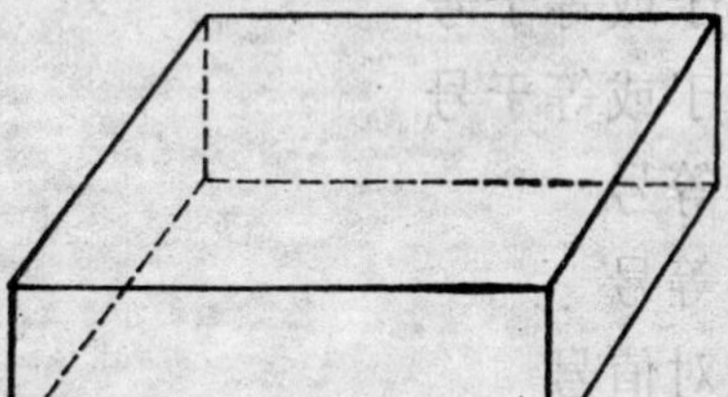
(2)

我们用一块长方形的薄钢片，在薄钢片的四个角上截去四个相同的小正方形，然后把四边折起来，就可以做成一个没有盖的长方体盒子.

如左图(1)所示，用一块长 80cm，宽 60cm 的薄钢片，在四个角上截去四个相同的小正方形，然后做成如左图(2)所示的底面积为 1 500cm² 的没有盖的长方体盒子. 想一想：应该怎样求出截去的小正方形的边长？

下面，我们用列方程的方法来求解.

设小正方形的边长为 $x$cm，那么盒子底面的长及宽分别为$(80-2x)$cm 及$(60-2x)$cm. 根据题意，得

$$(80-2x)(60-2x)=1\ 500.$$

整理后，得

$$x^2-70x+825=0.$$

这是一个方程. 但它与我们已经学过的一元一次方程不同. 我们学了这一章，就可以解这个方程，从而解决上述问题.

一　一元二次方程

12.1　一元二次方程

1. 知道整式方程、一元二次方程的含义.
2. 知道一元二次方程的一般形式，会把一元二次方程化成一般形式.

我们已经学过一元一次方程的解法及其应用.但在前面的问题中，我们列出的方程并不是一元一次方程.现在再来看下面的问题：

剪一块面积是 150cm^2 的长方形铁片，使它的长比宽多 5cm，这块铁片应该怎样剪？

要解决这个问题，就要求出铁片的长和宽.

我们可以设这块铁片的宽是 $x$cm，那么它的长是 $(x+5)$cm.根据题意，得

$$x(x+5)=150.$$

去括号，得

$$x^2+5x=150.$$

这个方程的两边都是关于未知数的整式，这样的方程叫做**整式方程**.在这个整式方程中，只含有一个未知数，并且未知数的最高次数是 2，这样的整式方程叫做**一元二次方程**.

上面的方程经过移项，可以化成

$$x^2+5x-150=0.$$

任何一个关于 x 的一元二次方程，经过整理，都可以化成下面的形式：

$$ax^2+bx+c=0(a\neq 0).$$

这种形式叫做一元二次方程的一般形式. 其中 ax^2 叫做二次项，a 叫做二次项系数；bx 叫做一次项，b 叫做一次项系数；c 叫做常数项. 一次项系数 b 和常数项 c 可以是任何实数. 二次项系数 a 是不等于 0 的实数，这是因为 a 等于 0，方程就不是二次方程了.

例 把方程 $3x(x-1)=2(x+2)+8$ 化成一般形式，并写出它的二次项系数、一次项系数及常数项.

解：去括号，得

$$3x^2-3x=2x+4+8.$$

移项，合并同类项，得方程的一般形式：

$$3x^2-5x-12=0.$$

二次项系数是3，一次项系数是 -5，常数项是 -12.

练　习

把下列方程先化成一元二次方程的一般形式，再写出它的二次项系数、一次项系数及常数项：

1. (1) $3x^2=5x+2$；　　(2) $(2x-1)(3x+2)=x^2+2$.

2. (1) $(x+3)(x-4)=-6$；

(2) $(x+1)^2-2(x-1)^2=6x-5$.

习　题　12.1

A 组

1. 写出下列一元二次方程的二次项系数、一次项系数及常数项：

(1) $x^2+3x+2=0$；　　(2) $x^2-3x+4=0$；

(3) $3x^2+x-2=0$；　　(4) $4x^2+3x-2=0$；

(5) $3x^2-5=0$；　　(6) $6x^2-x=0$.

2. 把下列方程先化成一元二次方程的一般形式，再写出它的二次项系数、一次项系数及常数项：

(1) $6x^2=3-7x$；　　(2) $5x^2+5=26x$；

(3) $3x(x-1)=2(x+2)-4$；

(4) $(2x-1)^2-(x+1)^2=(x+3)(x-3)$；

(5) $(3y+2)^2=4(y-3)^2$；

(6) $(y+\sqrt{y})(y-\sqrt{y})+(2y+1)^2=4y-5$.

B 组

1. 写出下列一元二次方程的二次项系数、一次项系数及常数项：

(1) $abx^2+cx+d=0\quad(ab\neq0)$；

(2) $(m-n)x^2+m+n=0\quad(m\neq n)$.

2. 把方程

$$mx^2-nx+mx+nx^2=q-p\quad(m+n\neq0)$$

化成一元二次方程的一般形式，再写出它的二次项系数、一次项系数及常数项.

12.2 一元二次方程的解法

1. 初步掌握用直接开平方法解一元二次方程，会用直接开平方法解形如 $(x-a)^2=b(b\geqslant 0)$ 的方程；
2. 初步掌握用配方法解一元二次方程，会用配方法解数字系数的一元二次方程；
3. 掌握一元二次方程的求根公式的推导，能够运用求根公式解一元二次方程；
4. 会用因式分解法解某些一元二次方程.

1. 公式法

我们来解方程

$$x^2-4=0.$$

先移项，就得到

$$x^2=4.$$

这里，实际上是求 4 的平方根. 因此，

$$x=\pm\sqrt{4},$$

即

$$x_1=2,\ x_2=-2.$$ ❶

这种解某些一元二次方程的方法叫做**直接开平方法**.

❶ 通常用 x_1，x_2 表示未知数为 x 的一元二次方程的两个根.

例 解方程$(x+3)^2=2$.

分析:原方程中$x+3$是2的平方根,因此,可运用直接开平方法求出$x+3$,再解出x.

解:因为$x+3$是2的平方根,所以

$$x+3=\pm\sqrt{2},$$

即

$$x+3=\sqrt{2},或x+3=-\sqrt{2}.$$

$$\therefore\quad x_1=-3+\sqrt{2},\ x_2=-3-\sqrt{2}.$$

这就是说,如果一元二次方程的一边是含有未知数的一次式的平方,另一边是一个非负数,同样可以用直接开平方法来解.

练　习

1. 用直接开平方法解下列方程:

(1) $x^2=256$;　　(2) $x^2-7=0$;

(3) $x^2-9=0$;　　(4) $4y^2=9$;

(5) $16x^2-49=0$;　　(6) $t^2-45=0$;

(7) $2x^2-32=0$;　　(8) $3x^2-x=15-x$.

2. 解下列方程:

(1) $(2x-3)^2=5$;　　(2) $(x+1)^2-12=0$;

(3) $(x-5)^2-36=0$;　(4) $(6x-1)^2=25$.

我们已经解过方程$(x+3)^2=2$.因为$x+3$是2的平方根,所以可用直接开平方法求出$x+3$,再解出x.

这就是说，上述方程可以用直接开平方法来解.

现在我们来研究一元二次方程的另一种解法.

把方程

$$(x+3)^2=2$$

的左边展开，得

$$x^2+6x+9=2,$$

即

$$x^2+6x+7=0.$$

下面研究方程

$$x^2+6x+7=0$$

的解法. 我们知道，方程

$$x^2+6x+7=0$$

是由方程

$$(x+3)^2=2$$

变形得到的，因此，要解方程

$$x^2+6x+7=0,$$

可以先把它化成

$$(x+3)^2=2$$

来解. 其化法如下：

将方程

$$x^2+6x+7=0$$

的常数项移到右边，并将一次项 $6x$ 改写成 $2\cdot x\cdot 3$，得

$$x^2+2\cdot x\cdot 3=-7.$$

可以看出，为了使左边成为完全平方式，在方程两边都加上 3^2(即一次项系数 6 的一半的平方)，得

$$x^2+6x+3^2=-7+3^2,$$

$$(x+3)^2=2.$$

解这个方程，得

$$x+3=\pm\sqrt{2},$$

即

$$x_1=-3+\sqrt{2},\quad x_2=-3-\sqrt{2}.$$

这种解一元二次方程的方法叫做**配方法**. 这种方法就是先把方程的常数项移到方程的右边，再把左边配成一个完全平方式，如果右边是非负数，就可以进一步通过直接开平方法来求出它的解.

例 1 解方程 $x^2-4x-3=0$.

解：移项，得

$$x^2-4x=3.$$

配方，得

$$x^2-4x+(-2)^2=3+(-2)^2,$$

$$(x-2)^2=7.$$

解这个方程，得

$$x-2=\pm\sqrt{7},$$

即

$$x_1=2+\sqrt{7},\quad x_2=2-\sqrt{7}.$$

例 2 解方程 $2x^2+3=7x$.

分析：先把原方程化成一般形式.这个方程的二次项系数是 2，为了便于配方，可把二次项系数化为 1.为此，把方程的各项都除以 2.

解：移项，得

$$2x^2-7x+3=0.$$

把方程的各项都除以 2，得

$$x^2-\frac{7}{2}x+\frac{3}{2}=0,$$

即

$$x^2-\frac{7}{2}x=-\frac{3}{2}.$$

配方，得

$$x^2-\frac{7}{2}x+\left(-\frac{7}{4}\right)^2=-\frac{3}{2}+\left(-\frac{7}{4}\right)^2,$$

$$\left(x-\frac{7}{4}\right)^2=\frac{25}{16}.$$

解这个方程，得

$$x-\frac{7}{4}=\pm\sqrt{\frac{25}{16}},$$

$$x-\frac{7}{4}=\pm\frac{5}{4},$$

即

$$x_1=3,\quad x_2=\frac{1}{2}.$$

练　习

1. 填空：

(1) $x^2+6x+\quad=(x+\quad)^2$；

(2) $x^2-5x+\quad=(x-\quad)^2$；

(3) $x^2+\frac{4}{3}x+\quad=(x+\quad)^2$；

(4) $x^2-\frac{5}{2}x+\quad=(x-\quad)^2$；

(5) $x^2+px+\quad=(x+\quad)^2$；

(6) $x^2+\frac{b}{a}x+\quad=(x+\quad)^2$.

2. 用配方法解下列方程：

(1) $x^2-6x+4=0$；　　(2) $x^2+5x-6=0$；

(3) $2t^2-7t-4=0$；　　(4) $3x^2-1=6x$.

想一想

1. 当 $x^2=c$ 时，c 必须是一个非负数，方程才有解，为什么？

2. $a^2+2ab+b^2$ 是一个完全平方式，即

$$a^2+2ab+b^2=(a+b)^2.$$

试用上式说明，

$$x^2+8x$$

必须加上 4^2（即一次项系数 8 的一半的平方），才能得到一个完全平方式.

下面我们用配方法来解一般形式的一元二次方程.

$$ax^2+bx+c=0(a\neq 0).$$

因为 $a\neq 0$,所以可以把方程的两边都除以二次项的系数 a,得

$$x^2+\frac{b}{a}x+\frac{c}{a}=0.$$

移项,得

$$x^2+\frac{b}{a}x=-\frac{c}{a}.$$

配方,得

$$x^2+\frac{b}{a}x+\left(\frac{b}{2a}\right)^2=-\frac{c}{a}+\left(\frac{b}{2a}\right)^2,$$

即

$$\left(x+\frac{b}{2a}\right)^2=\frac{b^2-4ac}{4a^2}.$$

因为 $a\neq 0$,所以 $4a^2>0$,当 $b^2-4ac\geqslant 0$ 时,得

$$x+\frac{b}{2a}=\pm\sqrt{\frac{b^2-4ac}{4a^2}},$$

即

$$x+\frac{b}{2a}=\pm\frac{\sqrt{b^2-4ac}}{2a}.$$

所以

$$x=-\frac{b}{2a}\pm\frac{\sqrt{b^2-4ac}}{2a},$$

即

$$x=\frac{-b\pm\sqrt{b^2-4ac}}{2a}.$$

证明此公式是如何推导得来的。

我们可以看到，一元二次方程

$$ax^2+bx+c=0(a\neq0)$$

的根是由方程的系数 a, b, c 确定的. 因此，在解一元二次方程时，先把方程化为一般形式，然后在 $b^2-4ac\geqslant0$ 的前提下，把各项系数 a, b, c 的值代入

$$\boldsymbol{x=\frac{-b\pm\sqrt{b^2-4ac}}{2a}(b^2-4ac\geqslant0)},$$

就可以求得方程的根. 我们把上面的式子叫做一元二次方程的求根公式. 用求根公式解一元二次方程的方法叫做**公式法**.

例 1 解方程 $x^2-3x+2=0$.

解：∵ $a=1, b=-3, c=2$,

$b^2-4ac=(-3)^2-4\times1\times2=1>0$,

∴ $x=\frac{-(-3)\pm\sqrt{(-3)^2-4\times1\times2}}{2\times1}$

$=\frac{3\pm1}{2}$.

∴ $x_1=2$, $x_2=1$.

注意 确定 a, b, c 的值时，要注意符号. 这里的 b 应为 -3.

例 2 解方程 $2x^2+7x=4$.

解：移项，得

$$2x^2+7x-4=0.$$

$\because\ a=2, b=7, c=-4,$

$b^2-4ac=7^2-4\times2\times(-4)=81>0,$

$$\therefore\ x=\frac{-7\pm\sqrt{81}}{2\times2}=\frac{-7\pm9}{4}.$$

$$\therefore\ x_1=\frac{1}{2},\quad x_2=-4.$$

例 3 解方程 $x^2-2\sqrt{2}\,x+2=0$.

解：$\because\ a=1,\quad b=-2\sqrt{2},\quad c=2,$

$b^2-4ac=(-2\sqrt{2})^2-4\times1\times2=0,$

$$\therefore\ x=\frac{2\sqrt{2}\pm\sqrt{0}}{2}=\frac{2\sqrt{2}}{2}=\sqrt{2}.$$

$$\therefore\ x_1=x_2=\sqrt{2}.$$

注意 这个方程有两个相等的实数根.

例 4 解方程 $x^2+x-1=0$(精确到 0.001).

解：$\because\ a=1, b=1, c=-1,$

$$\therefore\ x=\frac{-1\pm\sqrt{1^2-4\times1\times(-1)}}{2}=\frac{-1\pm\sqrt{5}}{2}.$$

$\because\ \sqrt{5}\approx2.236,$

$$\therefore\ x_1\approx\frac{-1+2.236}{2}=0.618,$$

$$x_2\approx\frac{-1-2.236}{2}=-1.618.$$

例 5 解关于 x 的方程

$$x^2-m(3x-2m+n)-n^2=0.$$

分析：先将原方程加以整理，化成一元二次方程的一般形式，然后在确定 $b^2-4ac\geqslant 0$ 的情况下，把二次项系数、一次项系数以及常数项代入公式求根.

解：展开，整理，得

$$x^2-3mx+(2m^2-mn-n^2)=0.$$

$\because$ $a=1, b=-3m, c=2m^2-mn-n^2$,

$$b^2-4ac=(-3m)^2-4\times 1\times(2m^2-mn-n^2)$$
$$=m^2+4mn+4n^2=(m+2n)^2\geqslant 0,$$

$\therefore$ $x=\dfrac{3m\pm\sqrt{(m+2n)^2}}{2}=\dfrac{3m\pm(m+2n)}{2}$.

$\therefore$ $x_1=2m+n$, $x_2=m-n$.

练　习

1. 把下列方程化成 $ax^2+bx+c=0$ 的形式，并写出其中 a,b,c 的值：

(1) $x^2+9x=6$; (2) $2x^2+1=7x$;

(3) $5x^2=3x+2$; (4) $8x=3x^2-1$.

2. 用公式法解下列方程：

(1) $2x^2+5x-3=0$; (2) $6x^2-13x-5=0$;

(3) $2y^2-4y-1=0$; (4) $\dfrac{5}{2}y^2+2y=1$;

(5) $t^2+2t=5$; (6) $p(p-8)=16$;

(7) $0.3x^2+x=0.8$; (8) $x^2+3=2\sqrt{3}x$.

3. 用公式法解方程 $x^2+3x-5=0$（精确到 0.01）.

4. 解关于 x 的方程 $2x^2-mx-m^2=0$.

习 题 12.2(1)

A 组

1. 用直接开平方法解下列方程:

(1) $x^2-1=0$; (2) $x^2-16=0$;

(3) $y^2-121=0$; (4) $2x^2=128$;

(5) $2x^2-\frac{1}{2}=0$; (6) $3y^2=\frac{4}{3}$;

(7) $x-x^2=5x^2+x$; (8) $7-2x^2=-15$.

2. 用直接开平方法解下列方程:

(1) $(x+5)^2=16$; (2) $(x+17)^2=49$;

(3) $(3y-7)^2=1$; (4) $(y+6)^2=100$.

3. 用配方法解下列方程:

(1) $x^2+6x+8=0$; (2) $x^2+4x-12=0$;

(3) $x^2-10x=-24$; (4) $x^2-8x+15=0$;

(5) $x^2+2x-99=0$; (6) $y^2+5y+2=0$;

(7) $3x^2-1=4x$; (8) $2x^2+\sqrt{2}x-30=0$.

4. 用配方法解关于 x 的方程 $x^2+px+q=0$.

5. 用公式法解下列方程:

(1) $x^2+2x-2=0$; (2) $3x^2+4x-7=0$;

(3) $2y^2+8y-1=0$; (4) $x^2-2.4x-13=0$;

(5) $2x^2-3x+\frac{1}{8}=0$; (6) $\frac{3}{2}t^2+4t=1$;

(7) $3y^2-2y=1$; (8) $3y^2+1=2\sqrt{3}y$.

6. 用公式法解下列方程,并求根的近似值(精确到 0.01):

(1) $x^2-3x-7=0$; (2) $x^2-3\sqrt{2}x+2=0$.

7. 用适当方法解下列方程：

(1) $3x^2=54$；　(2) $4(x-5)^2=16$；

(3) $x^2-4x=8$；　(4) $x(x+8)=609$；

(5) $3x^2+2x-3=0$；　(6) $3x^2-1=2x$；

(7) $6x^2-4=3x$；　(8) $3x^2+5(2x+1)=0$.

8. 解下列关于 x 的方程：

(1) $mx^2-(m-n)x-n=0(m\neq 0)$；

(2) $x^2-(2m+1)x+m^2+m=0$.

B 组

1. 解下列关于 x 的方程：

(1) $\frac{x^2}{a}=1(a>0)$；　(2) $x^2-a=0(a\geqslant 0)$；

(3) $(x-a)^2=b^2$；　(4) $(ax+c)^2=d(d\geqslant 0, a\neq 0)$.

2. 解下列方程：

(1) $5(2y-1)^2=80$；　(2) $4(3x-2)^2=36$；

(3) $3(2y+1)^2=27$；　(4) $10(3x+7)^2=1\ 000$.

3. 解下列关于 x 的方程：

(1) $(x+a)(x-b)+(x-a)(x+b)=2a(ax-b)$；

(2) $abx^2-(a^4+b^4)x+a^3b^3=0(ab\neq 0)$.

4. x 是什么数时，$3x^2+6x-8$ 的值和 $2x^2-1$ 的值相等？

2. 因式分解法

我们知道，一元二次方程一般可以用公式法来解. 例如，对于方程

$$x^2=4,$$

移项，得

$$x^2-4=0.$$

$$\because \quad a=1, b=0, c=-4,$$

$$b^2-4ac=0-4\times(-4)=16>0,$$

$$\therefore \quad x=\frac{0\pm\sqrt{0-4\times1\times(-4)}}{2}=\frac{0\pm4}{2}.$$

这就是说，原方程的两个根为

$$x_1=2, x_2=-2.$$

可以看出，上述方程虽然能用公式法来解，但用直接开平方法比较简便. 现在我们再来学习一种解某些一元二次方程较为简便的方法——因式分解法.

我们仍以上述方程

$$x^2=4$$

为例加以说明.

移项，得

$$x^2-4=0.$$

这个方程的右边是 0，左边可以分解成两个一次因式的积，因此，这个方程可变形为

$$(x+2)(x-2)=0.$$

我们知道，如果两个因式的积等于 0，那么这两个因式中至少有一个等于 0；反过来，如果两个因式有一个等于 0，它们的积就等于 0. 例如，要 $(x-2)(x+2)$ 等于 0，必须并且只需 $(x-2)$ 等于 0 或 $(x+2)$ 等于 0. 因此，解方程

$$(x+2)(x-2)=0$$

就相当于解方程 $x-2=0$ 或 $x+2=0$ 了. 进一步解这两个一次方程，得到

$$x=2, \text{或 } x=-2.$$

所以，原方程 $x^2=4$ 的两个根为

$$x_1=2, x_2=-2.$$

这种解一元二次方程的方法叫做**因式分解法**. 在一元二次方程的一边是 0 而另一边易于分解成两个一次因式时，就可以用因式分解法来解.

例 1 解下列方程：

(1) $x^2-3x-10=0$；(2) $(x+3)(x-1)=5$.

解：(1) 原方程可变形为

$$(x-5)(x+2)=0,$$

$$x-5=0, \text{或 } x+2=0,$$

$$\therefore \quad x_1=5, x_2=-2.$$

(2) 原方程可变形为

$$x^2+2x-3=5,$$

$$x^2+2x-8=0,$$

$$(x-2)(x+4)=0,$$

$$x-2=0, \text{或 } x+4=0.$$

$\therefore \qquad x_1 = 2, x_2 = -4.$

例 2 解下列方程:

(1) $3x(x+2)=5(x+2)$;

(2) $(3x+1)^2-5=0$.

分析:以上两个方程可以展开整理成一元二次方程的一般形式,然后再用公式法或用因式分解法来解,但这样做比较麻烦.根据以上两个方程的特点,直接应用因式分解法较简便.

解:(1) 原方程可变形为

$$3x(x+2)-5(x+2)=0,$$

$$(x+2)(3x-5)=0,$$

$$x+2=0, \text{或 } 3x-5=0,$$

$$x_1=-2,\ x_2=\frac{5}{3}.$$

(2) 原方程可变形为

$$[(3x+1)+\sqrt{5}\,][(3x+1)-\sqrt{5}\,]=0,$$

$$3x+1+\sqrt{5}=0, \text{或 } 3x+1-\sqrt{5}=0,$$

$$\therefore \quad x_1=\frac{-1-\sqrt{5}}{3}, x_2=\frac{-1+\sqrt{5}}{3}.$$

例 3 解下列方程:

(1) $3x^2-16x+5=0$;

(2) $3(2x^2-1)=7x$.

分析:(1) 的左边可用十字相乘法分解因式;(2) 经过变形后,也可用十字相乘法分解因式.

解:(1) 原方程可变形为

$$(3x-1)(x-5)=0,$$

$$3x-1=0,\text{或 } x-5=0,$$

$$\therefore \quad x_1=\frac{1}{3},x_2=5.$$

(2) 原方程可变形为

$$6x^2-7x-3=0,$$

$$(3x+1)(2x-3)=0,$$

$$3x+1=0,\text{或 } 2x-3=0,$$

$$\therefore \quad x_1=-\frac{1}{3},x_2=\frac{3}{2}.$$

练　习

1. 写出下列方程的根:

(1) $x(x-2)=0$;　　(2) $(y+2)(y-3)=0$;

(3) $(3x+2)(2x-1)=0$;　(4) $x^2=x$.

2. 用因式分解法解下列方程:

(1) $5x^2+4x=0$;　　(2) $\sqrt{2}y^2=3y$;

(3) $x^2+7x+12=0$;　　(4) $x^2-10x+16=0$;

(5) $x^2+3x-10=0$;　　(6) $x^2-6x-40=0$;

(7) $t(t+3)=28$;　　(8) $(x+1)(x+3)=15$.

3. 用因式分解法解下列方程:

(1) $(y-1)^2+2y(y-1)=0$;

(2) $(3x+2)^2=4(x-3)^2$.

4. 用因式分解法解下列方程:

(1) $3x^2-7x+2=0$;　　(2) $2x^2-11x-21=0$.

习　题　12.2(2)

A　组

1. 用因式分解法解下列方程：

(1) $x^2+7x+6=0$；　(2) $x^2-5x-6=0$；

(3) $y^2-17y+30=0$；　(4) $y^2-7y-60=0$；

(5) $x^2+10x-11=0$；　(6) $x^2-12x-28=0$；

(7) $6x^2-13x-15=0$；　(8) $6x^2-31x+35=0$；

(9) $9(2x+3)^2-4(2x-5)^2=0$；

(10) $(2y+1)^2+3(2y+1)+2=0$.

2. 解下列关于 x 的方程：

(1) $5m^2x^2-17mx+14=0(m\neq 0)$；

(2) $10a^2x^2+13abx-3b^2=0(a\neq 0)$.

3. 用适当方法解下列方程：

(1) $x^2-3x+2=0$；　(2) $x^2-3x-2=0$；

(3) $x^2+12x+27=0$；　(4) $(x-1)(x+2)=70$；

(5) $(3-t)^2+t^2=9$；　(6) $(y-2)^2=3$；

(7) $(2x+3)^2=3(4x+3)$；(8) $(y+\sqrt{3})^2=4\sqrt{3}y$；

(9) $(2x-1)(x+3)=4$；　(10) $3x(x-1)=2-2x$.

B　组

1. 已知 $y=x^2-2x-3$. x 是什么数时，y 的值等于 0？x 是什么数时，y 的值等于 -4？

2. 已知 $x^2-7xy+12y^2=0$，求证

$$x=3y,\text{或 } x=4y.$$

我国古代的一个一元二次方程

读一读

提起代数，人们自然就和方程联系起来．事实上，过去代数的中心问题就是对方程的研究．我国古代对代数的研究，特别是对方程解法的研究，有着优良的传统，并取得了重要成果．

我国古代数学家研究过二次方程的解法．当时的解法虽然与现代的解法不同，但已与近代的解法相似．

下面是我国南宋数学家杨辉在 1275 年提出的一个问题："直田积（矩形面积）八百六十四步（平方步），只云阔（宽）不及长一十二步（宽比长少一十二步），问阔及长各几步．"答："阔二十四步，长三十六步．"这里，我们不谈杨辉的解法，只用已经学过的知识解决上面的问题．

设阔（宽）为 x 步，则长为 $(x+12)$ 步．

根据题意，列出方程

$$x(x+12)=864.$$

展开，整理，得

$$x^2+12x-864=0.$$

解这个方程，得

$$x=\frac{-12\pm\sqrt{12^2-4\times1\times(-864)}}{2}$$

$$=\frac{-12\pm\sqrt{3\,600}}{2}=\frac{-12\pm60}{2}.$$

$$x_1=24,\quad x_2=-36(\text{舍去}),$$

$$x_1+12=36.$$

答：矩形的阔（宽）为 24 步，长为 36 步.

上面的问题选自杨辉所著《田亩比类乘除算法》.原题另一个提法是："直田积八百六十四步，只云长阔共六十步，问阔及长各几步.答：阔二十四步，长三十六步."作为练习，请用已学过的知识解决这一问题.

12.3　一元二次方程的根的判别式

> 理解一元二次方程的根的判别式，并能用判别式判定根的情况.

我们知道，任何一个一元二次方程

$$ax^2+bx+c=0(a\neq 0)$$

用配方法可将其变形为

$$\left(x+\frac{b}{2a}\right)^2=\frac{b^2-4ac}{4a^2}.$$

因为 $a\neq 0$，所以 $4a^2>0$. 这样，我们有：

(1) 当 $b^2-4ac>0$ 时，方程右边是一个正数，因此，方程有

$$x_1=\frac{-b+\sqrt{b^2-4ac}}{2a}, x_2=\frac{-b-\sqrt{b^2-4ac}}{2a}$$

这样两个不相等的实数根；

(2) 当 $b^2-4ac=0$ 时，方程右边是 0，因此，方程有

$$x_1=x_2=-\frac{b}{2a}$$

这样两个相等的实数根；

(3) 当 $b^2-4ac<0$ 时，方程右边是一个负数，而方程左边的 $\left(x+\frac{b}{2a}\right)^2$ 不可能是一个负数，因此，方程没有实数根.

由此可知，一元二次方程 $ax^2+bx+c=0$ 的根的情况可由 b^2-4ac 来判定. 我们把 $\boldsymbol{b^2-4ac}$ 叫做一元二次方程 $ax^2+bx+c=0$ 的**根的判别式**，通常用符号“Δ”❶来表示.

综上所述，**一元二次方程**

$$\boldsymbol{ax^2+bx+c=0(a\neq 0)},$$

当 $\Delta>0$ 时，有两个不相等的实数根；当 $\Delta=0$ 时，有两个相等的实数根，当 $\Delta<0$ 时，没有实数根. 反过来也成立.

例 不解方程，判别下列方程的根的情况：

(1) $2x^2+3x-4=0$；

(2) $16y^2+9=24y$；

(3) $5(x^2+1)-7x=0$.

解：(1) $\because \Delta=3^2-4\times 2\times(-4)=9+32>0$,

$\therefore$ 原方程有两个不相等的实数根.

(2) 原方程可变形为

$$16y^2-24y+9=0.$$

$\because \Delta=(-24)^2-4\times 16\times 9=576-576=0$,

$\therefore$ 原方程有两个相等的实数根.

(3) 原方程可变形为

$$5x^2-7x+5=0.$$

---

❶ “Δ”是希腊字母，读作 delta.

$\because \quad \Delta=(-7)^2-4\times5\times5=49-100<0,$

$\therefore$ 原方程没有实数根.

练　习

不解方程，判别下列方程的根的情况：

1. $3x^2+4x-2=0.$
2. $2y^2+5=6y.$
3. $4p(p-1)-3=0.$
4. $x^2+5=2\sqrt{5}x.$
5. $\sqrt{3}x^2-\sqrt{2}x+2=0.$
6. $3t^2-2\sqrt{6}t+2=0.$

想一想

已知关于 x 的方程

$$2x^2-(4k+1)x+2k^2-1=0,$$

其中

$$\begin{aligned}\Delta&=[-(4k+1)]^2\\&\quad-4\times2(2k^2-1)\\&=16k^2+8k+1-16k^2+8\\&=8k+9.\end{aligned}$$

想一想，当 k 取什么值时，(1) 方程有两个不相等的实数根；(2) 方程有两个相等的实数根；(3) 方程没有实数根.

习 题 12.3

A 组

不解方程，判别下列方程的根的情况：

1. $2x^2+4x+35=0$.

2. $4m(m-1)+1=0$.

3. $0.2x^2-5=\frac{3}{2}x$.

4. $4(y^2+0.09)=2.4y$.

5. $\frac{1}{2}x^2-\sqrt{2}=\sqrt{3}x$.

6. $2t=\sqrt{5}\left(t^2+\frac{1}{5}\right)$.

B 组

1. 已知关于 x 的方程

$$x^2+(2m+1)x+(m-2)^2=0.$$

m 取什么值时，(1) 方程有两个不相等的实数根？(2) 方程有两个相等的实数根？(3) 方程没有实数根？

2. k 取什么值时，方程

$$4x^2-(k+2)x+k-1=0$$

有两个相等的实数根？求出这时方程的根.

3. 求证关于 x 的方程

$$x^2+(2k+1)x+k-1=0$$

有两个不相等的实数根.

*12.4 一元二次方程的根与系数的关系[1]

> 掌握一元二次方程根与系数的关系式，能运用它由已知一元二次方程的一个根求出另一个根与未知系数，会求一元二次方程两个根的倒数和与平方和.

我们知道，一元二次方程的求根公式是由系数表达的. 下面我们来研究一元二次方程的两个根的和、两个根的积与系数的关系.

一元二次方程$ax^2+bx+c=0\ (a\neq 0)$的两个根为

$$x_1=\frac{-b+\sqrt{b^2-4ac}}{2a},\ x_2=\frac{-b-\sqrt{b^2-4ac}}{2a},$$

所以

$$x_1+x_2=\frac{-b+\sqrt{b^2-4ac}}{2a}+\frac{-b-\sqrt{b^2-4ac}}{2a}$$

$$=\frac{-2b}{2a}=-\frac{b}{a};$$

$$x_1\cdot x_2=\frac{-b+\sqrt{b^2-4ac}}{2a}\cdot\frac{-b-\sqrt{b^2-4ac}}{2a}$$

$$=\frac{(-b)^2-(\sqrt{b^2-4ac})^2}{4a^2}=\frac{4ac}{4a^2}=\frac{c}{a}.$$

---

[1] 标有“*”号的内容为选学内容，不属于毕业考试的命题范围，但可作为升学考试的内容.

由此得出，一元二次方程的根与系数之间存在下列关系：

> **如果 $ax^2 + bx + c = 0(a \neq 0)$ 的两个根是 x_1, x_2，那么 $x_1 + x_2 = -\dfrac{b}{a}$，$x_1 \cdot x_2 = \dfrac{c}{a}$.**

如果把方程 $ax^2 + bx + c = 0(a \neq 0)$ 变形为

$$x^2 + \frac{b}{a}x + \frac{c}{a} = 0,$$

我们就可以把它写成

$$x^2 + px + q = 0$$

的形式，其中 $p = \dfrac{b}{a}, q = \dfrac{c}{a}$. 从而得出：

如果方程 $x^2 + px + q = 0$ 的两个根是 x_1, x_2，那么

$$x_1 + x_2 = -p,\ x_1 \cdot x_2 = q.$$

由 $x_1 + x_2 = -p$，$x_1 \cdot x_2 = q$ 可知，

$$p = -(x_1 + x_2),\ q = x_1 \cdot x_2,$$

所以方程

$$x^2 + px + q = 0$$

就是

$$x^2 - (x_1 + x_2)x + x_1 \cdot x_2 = 0.$$

这就是说，**以两个数 x_1, x_2 为根的一元二次方程（二次项系数为 1）是**

$$x^2 - (x_1 + x_2)x + x_1 \cdot x_2 = 0.$$

这也证明因式分解成两个因式，方程的根就是两个因式分别等于0。因式分解的根据。

例 1 已知方程

$$5x^2+kx-6=0$$

的一个根是 2，求它的另一个根及 k 的值.

解：设方程的另一根是 x_1，那么

$$2x_1=-\frac{6}{5},$$

$$\therefore \quad x_1=-\frac{3}{5}.$$

$$\text{又} \quad \left(-\frac{3}{5}\right)+2=-\frac{k}{5},$$

$$\therefore \quad k=-5\left[\left(-\frac{3}{5}\right)+2\right]=-7.$$

答：方程的另一个根是 $-\frac{3}{5}$，k 的值是 -7.

想一想，并试一下，能不能把 $x=2$ 代入原方程，先求出 k 的值，再求出另一个根.

例 2 利用根与系数的关系，求一元二次方程

$$2x^2+3x-1=0$$

两个根的(1) 平方和；(2) 倒数和.

分析：因为两数和的平方，等于两数的平方和加上两数的积的 2 倍，所以两数的平方和等于两数和的平方减去两数的积的 2 倍. 同样，可以用两数和与积表示两数的倒数和.

解：设方程的两个根是 x_1, x_2，那么

$$x_1+x_2=-\frac{3}{2},\ x_1\cdot x_2=-\frac{1}{2}.$$

(1) ∵ $(x_1+x_2)^2=x_1^2+2x_1x_2+x_2^2$,

∴ $x_1^2+x_2^2=(x_1+x_2)^2-2x_1x_2$

$$=\left(-\frac{3}{2}\right)^2-2\times\left(-\frac{1}{2}\right)=\frac{13}{4};$$

(2) $\frac{1}{x_1}+\frac{1}{x_2}=\frac{x_1+x_2}{x_1x_2}=\left(-\frac{3}{2}\right)\div\left(-\frac{1}{2}\right)=3.$

例 3 求一个一元二次方程，使它的两个根是 $-3\frac{1}{3}$，$2\frac{1}{2}$.

解：所求方程是

$$x^2-\left(-3\frac{1}{3}+2\frac{1}{2}\right)x+\left(-3\frac{1}{3}\right)\times2\frac{1}{2}=0,$$

即

$$x^2+\frac{5}{6}x-\frac{25}{3}=0,$$

方程求根
根求方程
(还原)

或

$$6x^2+5x-50=0.$$

例 4 已知两个数的和等于 8，积等于 9，求这两个数.

解：根据根与系数的关系可知，这两个数是方程

$$x^2-8x+9=0$$

的两个根.

解这个方程，得

$$x_1=4+\sqrt{7},\ x_2=4-\sqrt{7}\ .$$

因此，这两个数是 $4+\sqrt{7}$，$4-\sqrt{7}$.

练　习

1. 下列方程两根的和与两根的积各是多少？

(1) $x^2-3x+1=0$；　　(2) $3x^2-2x=2$；

(3) $2x^2+3x=0$；　　(4) $3x^2=1$.

2. 已知方程 $3x^2-19x+m=0$ 的一个根是 1，求它的另一个根及 m 的值.

3. 设 x_1, x_2 是方程 $2x^2+4x-3=0$ 的两个根，利用根与系数的关系，求下列各式的值：

(1) $(x_1+1)(x_2+1)$；　　(2) $\frac{x_2}{x_1}+\frac{x_1}{x_2}$.

4. 求一个一元二次方程，使它的两个根分别为

(1) 4，−7；　　(2) $1+\sqrt{3}$，$1-\sqrt{3}$.

5. 已知两个数的和等于 −6，积等于 2，求这两个数.

想一想

已知方程

$$x^2+3x-2=0.$$

不解出这个方程，怎样利用根与系数的关系，求作一个一元二次方程，使它的根分别是已知方程的各根的 2 倍？

习　题　12.4

A　组

1. (1) 如果 -5 是方程 $5x^2+bx-10=0$ 的一个根，求方程的另一个根及 b 的值；

(2) 如果 $2+\sqrt{3}$ 是方程 $x^2-4x+c=0$ 的一个根，求方程的另一个根及 c 的值.

2. 设 x_1, x_2 是方程 $2x^2-6x+3=0$ 的两个根，利用根与系数的关系，求下列各式的值：

(1) $x_1^2x_2+x_1x_2^2$；　(2) $(x_1-x_2)^2$；

(3) $\left(x_1+\dfrac{1}{x_2}\right)\left(x_2+\dfrac{1}{x_1}\right)$；　(4) $\dfrac{1}{x_1^2}+\dfrac{1}{x_2^2}$.

3. 求一个一元二次方程，使它的两个根是

(1) $-1, \dfrac{3}{4}$；　(2) $\dfrac{-1+\sqrt{5}}{2}, \dfrac{-1-\sqrt{5}}{2}$.

4. 已知两个数的和等于 $\sqrt{2}$，积等于 $-\dfrac{1}{4}$，求这两个数.

B　组

1. 设 x_1, x_2 是方程 $ax^2+bx+c=0$ 的两个根，求证：

(1) $x_1^2+x_2^2=\dfrac{b^2-2ac}{a^2}$；　(2) $\dfrac{1}{x_1}+\dfrac{1}{x_2}+\dfrac{b}{c}=0$.

2. 已知方程 $x^2-2x-1=0$，利用根与系数的关系求一个一元二次方程，使它的根是原方程各根的平方.

12.5 二次三项式的因式分解(用公式法)

> 了解二次三项式的因式分解与解方程的关系,会利用一元二次方程的求根公式在实数范围内将二次三项式分解因式.

我们知道,形如

$$ax^2+bx+c(a\neq 0)$$

的多项式叫做 x 的二次三项式.我们已经学过用十字相乘法将较简单的二次三项式分解因式,现在来学习利用一元二次方程的求根公式将一般的二次三项式分解因式.

我们在解一元二次方程

$$2x^2-6x+4=0$$

时,可以先把左边分解因式,得

$$2(x^2-3x+2)=0,$$

$$2(x-1)(x-2)=0.$$

这样,就可以得到方程的两个根

$$x_1=1,\quad x_2=2.$$

反过来,我们也可以利用一元二次方程的两个根来分解二次三项式.这就是说,我们可以令二次三项式为0,利用求出一元二次方程的根,来把二次三项式分解因式.

如果一元二次方程$ax^2+bx+c=0(a\neq 0)$的两个根是$x_1=\dfrac{-b+\sqrt{b^2-4ac}}{2a}$和$x_2=\dfrac{-b-\sqrt{b^2-4ac}}{2a}$，那么由运算可知

$$x_1+x_2=-\frac{b}{a},\ x_1\cdot x_2=\frac{c}{a},$$

就是

$$\frac{b}{a}=-(x_1+x_2),\ \frac{c}{a}=x_1\cdot x_2.$$

$$\begin{aligned}\therefore\quad ax^2+bx+c&=a\left(x^2+\frac{b}{a}x+\frac{c}{a}\right)\\&=a[x^2-(x_1+x_2)x+x_1x_2]\\&=a(x-x_1)(x-x_2).\end{aligned}$$

这就是说，**在分解二次三项式 ax^2+bx+c 的因式时，可先用公式求出方程 $ax^2+bx+c=0$ 的两个根 x_1，x_2，然后写成**

$$\boldsymbol{ax^2+bx+c=a(x-x_1)(x-x_2).}$$

例如，已知一元二次方程$2x^2-6x+4=0$的根是

$$x_1=1,\ x_2=2,$$

就可把二次三项式分解因式，得

$$2x^2-6x+4=2(x-1)(x-2).$$

例 1 把 $4x^2-5$ 分解因式.

解：∵ 方程 $4x^2-5=0$ 的两个根是

$$x_1=\frac{\sqrt{5}}{2},\ x_2=-\frac{\sqrt{5}}{2},$$

$$\therefore\quad 4x^2-5=4\left(x-\frac{\sqrt{5}}{2}\right)\left(x+\frac{\sqrt{5}}{2}\right).$$

例 2　把 $4x^2+8x-1$ 分解因式.

解：∵　方程 $4x^2+8x-1=0$ 的根是

$$x=\frac{-8\pm\sqrt{8^2-4\times4\times(-1)}}{2\times4}$$

$$=\frac{-8\pm4\sqrt{5}}{8}=\frac{-2\pm\sqrt{5}}{2}.$$

∴　$4x^2+8x-1$

$$=4\left(x-\frac{-2+\sqrt{5}}{2}\right)\left(x-\frac{-2-\sqrt{5}}{2}\right)$$

$$=(2x+2-\sqrt{5})(2x+2+\sqrt{5}).$$

例 3　把 $2x^2-8xy+5y^2$ 分解因式.

解：∵ 关于x的方程 $2x^2-8xy+5y^2=0$ 的根是

$$x=\frac{8y\pm\sqrt{(-8y)^2-4\times2\times(5y^2)}}{2\times2}$$

$$=\frac{8y\pm2\sqrt{6}\,y}{4}=\frac{4\pm\sqrt{6}}{2}y,$$

∴　$2x^2-8xy+5y^2$

$$=2\left(x-\frac{4+\sqrt{6}}{2}y\right)\left(x-\frac{4-\sqrt{6}}{2}y\right).$$

这样的话二次三项式都可以分解因式了。

练　习

1. 把下列各式分解因式：

(1)$x^2+20x+96$；　　(2)$6x^2-11xy-7y^2$.

2. 把下列各式在实数范围内分解因式：

(1)x^2-5x+3；　　(2)$3x^2+4xy-y^2$.

习　题　12.5

A 组

1. 把下列各式分解因式：

(1)$5x^2+11x+6$；　(2)$6y^2-13y+6$；

(3)$-4x^2-4x+15$；　(4)$10p^2-p-3$；

(5)$a^2+40a+384$；　(6)$3x^2y^2-10xy+7$；

(7)$6x^2-9x-42$；　(8)$15x^2+16xy-15y^2$.

2. 把下列各式在实数范围内分解因式：

(1)x^2-x-1；　(2)x^2-2x-4；

(3)$3x^2+2x-3$；　(4)$2x^2-4x-3$；

(5)$2x^2-4x-5$；　(6)$-3m^2-2m+4$；

(7)$x^2-2\sqrt{2}x-3$；　(8)$3x^2-5xy-y^2$.

B 组

1. 把下列各式分解因式：

(1)$6x^2+x-15$；　(2)$42x^2-85xy+42y^2$；

(3)$12x^2-7\sqrt{2}xy+2y^2$；

(4)$14x^2-67xy+18y^2$.

2. 把下列各式分解因式：

(1)$(m^2-m)x^2-(2m^2-1)x+m(m+1)$；

(2)$(x^2+x)^2-2x(x+1)-3$.

12.6 一元二次方程的应用

> 1. 会列出一元二次方程解应用题.
> 2. 通过列方程解应用题，进一步提高逻辑思维能力和分析问题、解决问题的能力.

我们已经学习了一元二次方程及其解法，现在学习列出一元二次方程解应用题.

对于本章开始提出的问题，我们已设出未知数、列出代数式，并根据题意列出方程

$$(80-2x)(60-2x)=1\,500,$$

展开，整理后，得

$$x^2-70x+825=0.$$

当时，我们不会解这个方程，现在，可以解这个方程了.解得

$$x=\frac{70\pm\sqrt{70^2-4\times1\times825}}{2}=35\pm20,$$

即

$$x_1=55,\ x_2=15.$$

当 $x=55$ 时，$80-2x=-30$，$60-2x=-50$；

当 $x=15$ 时，$80-2x=50$，$60-2x=30$.

我们知道，问题中底面的长及宽都不能为负数，因此，只能取 $x=15$. 这就是说，小正方形的边长应是 15cm.

下面我们再来研究其他的问题.

例 1 两个连续奇数的积是 323,求这两个数.

解:设较小的一个奇数为 x,则另一个为 $x+2$.

根据题意,得

$$x(x+2)=323.$$

整理后,得

$$x^2+2x-323=0.$$

解这个方程,得

$$x_1=17,\ x_2=-19.$$

奇数可以是正数,也可以是负数,所以 $x=17$,$x=-19$ 都适合题意.

由 $x=17$,得 $x+2=19$;

由 $x=-19$,得 $x+2=-17$.

答:这两个奇数是 17,19,或者 -19,-17.

试一试,如果设这两个奇数中较小的一个为 $x-1$,另一个为 $x+1$,这道题应该怎样解.

例 2 某钢铁厂去年 1 月某种钢的产量为 5 000 吨,3 月上升到 7 200 吨,这两个月平均每月增长的百分率是多少?

分析:设平均每月的增长率为 x,那么去年 2 月的产量是 $(5\ 000+5\ 000x)$ 吨,就是 $5\ 000(1+x)$ 吨;3 月的产量是 $[5\ 000(1+x)+5\ 000(1+x)x]$ 吨,就是 $5\ 000\cdot(1+x)^2$ 吨.于是可以根据题意列出方程.

解：设平均每月增长的百分率为 x. 根据题意，得

$$5\,000(1+x)^2=7\,200,$$

$$(1+x)^2=1.44,$$

$$1+x=\pm 1.2.$$

$$\therefore \quad x_1=0.2, x_2=-2.2.$$

$x_2=-2.2$ 不合题意，所以只能取 $x_1=0.2=20\%$.

答：平均每月增长的百分率是 20%.

练　习

1. 两个连续整数的积是 210，求这两个数.
2. 已知两个数的和等于 12，积等于 32，求这两个数.
3. 要做一个容积是 750cm^3，高是 6cm，底面的长比宽多 5cm 的长方形匣子，底面的长及宽应该各是多少（精确到 0.1cm）？
4. 如图，在宽为 20m，长为 32m 的矩形地面上，修筑同样宽的两条互相垂直的道路，余下的部分作为耕地，要使耕地的面积为 540m^2，道路的宽应为多少？

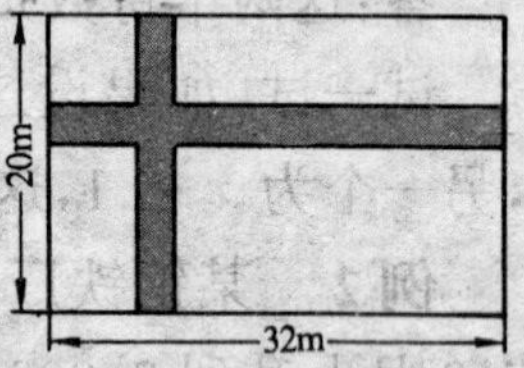

（第 4 题）

5. 某农场的粮食产量在两年内从 3 000 吨增加到 3 630 吨，平均每年增产的百分率是多少？

习　题　12.6

A　组

1. 已知两个数的差等于 6,积等于 16,求这两个数.
2. 一个两位数等于它个位上的数的平方,个位上的数比十位上的数大 3,求这个两位数.
3. 三个连续整数两两相乘后,再求和,得 362,求各数.
4. 求 $x:(x-1)=(x+2):3$ 中的 x.
5. 求 27 和 48 的比例中项.
6. 从一块长 300 厘米、宽 200 厘米的铁片中间截去一个小长方形,使剩下的长方框四周的宽度一样,并且小长方形的面积是原来铁片面积的一半,求这个宽度(精确到 1cm).
7. 某林场计划修一条长 750 米,断面为等腰梯形的渠道,断面面积为 1.6 米^2,上口宽比渠深多 2 米,渠底宽比渠深多 0.4 米.
   (1) 渠道的上口宽与渠底宽各是多少?
   (2) 如果计划每天挖土 48 米^3,需要多少天把这条渠道的土挖完?
8. 某厂 1 月间印刷了科技书籍 50 万册,第一季度共印 175 万册,问 2 月、3 月平均每月的增长率是多少(精确到 1%).

B　组

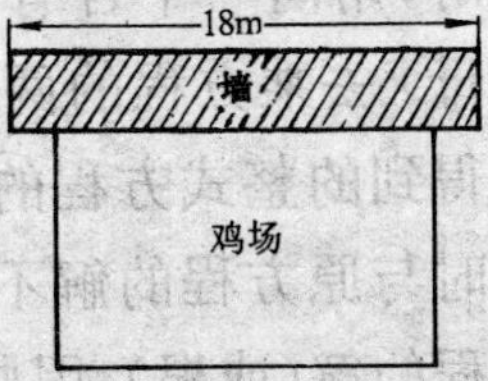

(第 1 题)

1. 如图,有一面积为 150 米^2 的长方形鸡场,鸡场的一边靠墙(墙长 18 米),另三边用竹篱笆围成.如果竹篱笆的长为 35 米,求鸡场的长与宽各为多少米.
2. 制造一种产品,原来每件的成本是 300 元,由于连续两次降低成本,现在的成本是 195 元.平均每次降低成本百分之几(精确到 1%)?

二　可化为一元二次方程的分式方程和无理方程

12.7　分式方程

1. 掌握可化为一元二次方程的分式方程(方程中的分式不超过三个)的解法,会用去分母或换元法求方程的解,并会验根.
2. 会列出可化为一元二次方程的分式方程解应用题.

我们已经知道,分母里含有未知数的方程叫做分式方程,并且已经学了可化为一元一次方程的分式方程.现在进一步学习可化为一元二次方程的分式方程.

解可化为一元二次方程的分式方程的方法,与解可化为一元一次方程的分式方程的方法相同.解方程时,用同一个含有未知数的整式(各分式的最简公分母)去乘方程的两边,约去分母,化为整式方程.这样得到的整式方程的解有时与原方程的解相同,但也有时与原方程的解不同,或者说产生了不适合原分式方程的解(或根),因此,解分式方程时必须代入原方程进行检验.为了简便,可把解得的根代入所乘的整式,如果不使这个整式等于0,就是原方程的根;如果使这个整式等于0,就是原方程的增根,必须舍去.

例 1　解方程$\frac{1}{x+2}+\frac{4x}{x^2-4}+\frac{2}{2-x}=1$.

解:原方程就是

$$\frac{1}{x+2}+\frac{4x}{(x+2)(x-2)}-\frac{2}{x-2}=1.$$

方程两边都乘以$(x+2)(x-2)$,约去分母,得

$$x-2+4x-2(x+2)=(x+2)(x-2).$$

整理后,得

$$x^2-3x+2=0.$$

解这个方程,得

$$x_1=1,\ x_2=2.$$

检验:把$x=1$代入$(x+2)(x-2)$,它不等于0,所以$x=1$是原方程的根;把$x=2$代入$(x+2)(x-2)$,它等于0,所以$x=2$是增根.

∴ 原方程的根是$x=1$.

例 2　解方程$\frac{2(x^2+1)}{x+1}+\frac{6(x+1)}{x^2+1}=7$.

分析:这个方程左边两个分式中的$\frac{x^2+1}{x+1}$与$\frac{x+1}{x^2+1}$互为倒数,根据这个特点,可以用换元法来解.

解:设$\frac{x^2+1}{x+1}=y$,那么$\frac{x+1}{x^2+1}=\frac{1}{y}$,于是原方程变形为

$$2y+\frac{6}{y}=7.$$

方程的两边都乘以 y，约去分母，得

$$2y^2 - 7y + 6 = 0.$$

解这个方程，得

$$y_1 = 2,\ y_2 = \frac{3}{2}.$$

当 $y = 2$ 时，$\dfrac{x^2+1}{x+1} = 2$，去分母，整理得

$$x^2 - 2x - 1 = 0,$$

$$\therefore \quad x = \frac{2 \pm \sqrt{8}}{2} = 1 \pm \sqrt{2};$$

当 $y = \dfrac{3}{2}$ 时，$\dfrac{x^2+1}{x+1} = \dfrac{3}{2}$，去分母，整理得

$$2x^2 - 3x - 1 = 0,$$

$$\therefore \quad x = \frac{3 \pm \sqrt{17}}{4}.$$

检验：把 $x = 1 \pm \sqrt{2}$，$x = \dfrac{3 \pm \sqrt{17}}{4}$ 分别代入原方程的分母，各分母都不等于 0，所以它们都是原方程的根.

∴　原方程的根是

$$x_1 = 1 + \sqrt{2},\ x_2 = 1 - \sqrt{2},$$

$$x_3 = \frac{3+\sqrt{17}}{4},\ x_4 = \frac{3-\sqrt{17}}{4}.$$

例 3　甲、乙二人同时从张庄出发，步行 15 千米到李庄. 甲比乙每小时多走 1 千米，结果比乙早到半小时. 二人每小时各走几千米？

guess and check 不行。

2.3 甲.4
5小时 3.75小时.
4 5
3.75小时, 3小时.

分析：我们可设乙每小时走 x 千米，那么甲每小时走 $(x+1)$ 千米. 乙走 15 千米要用 $\frac{15}{x}$ 小时，甲走 15 千米要用 $\frac{15}{x+1}$ 小时，根据题意，可以列出方程.

解：设乙每小时走 x 千米，那么甲每小时走 $(x+1)$ 千米，根据题意，得

$$\frac{15}{x+1}=\frac{15}{x}-\frac{1}{2}.$$

方程的两边都乘以 $2x(x+1)$，约去分母，整理得

$$x^2+x-30=0.$$

解这个方程，得

$$x_1=5,\ x_2=-6.$$

经检验，$x_1=5$，$x_2=-6$ 都是原方程的根. 但速度为负数不合题意，所以只取 $x=5$，这时 $x+1=6$.

答：甲每小时走 6 千米，乙每小时走 5 千米.

例 4　某农场开挖一条长 960 米的渠道，开工后每天比原计划多挖 20 米，结果提前 4 天完成任务. 原计划每天挖多少米?

解：设原计划每天挖 x 米，那么开工后每天挖 $(x+20)$ 米，根据题意，得

$$\frac{960}{x}-\frac{960}{x+20}=4.$$

方程的两边都乘以 $x(x+20)$，约去分母，整理得

$$x^2+20x-4\,800=0.$$

解这个方程，得

$$x_1=60,\ x_2=-80.$$

经检验，$x_1=60$，$x_2=-80$都是原方程的根. 但负数不合题意，所以只取 $x=60$.

答：原计划每天挖 60 米.

例 5　一个水池有甲、乙两个进水管. 单独开放甲管注满水池比单独开放乙管少用 10 小时；两管同时开放，12 小时可把水池注满. 若单独开放一个水管，各需多少小时能把水池注满？

分析：我们可设单独开放乙管注满水池需 x 小时，那么单独开放甲管注满水池需 $(x-10)$ 小时. 单开乙管每小时可注满水池的 $\frac{1}{x}$，单开甲管每小时可注满水池的 $\frac{1}{x-10}$. 根据题意，可以列出方程.

解：设单独开放乙管注满水池需 x 小时，那么单独开放甲管注满水池需 $(x-10)$ 小时，根据题意，得

$$\frac{1}{x-10}+\frac{1}{x}=\frac{1}{12}.$$

方程的两边都乘以 $12x(x-10)$，约去分母，并整理，得

$$x^2-34x+120=0.$$

解这个方程，得

$$x_1=30,\ x_2=4.$$

经检验，$x_1=30$，$x_2=4$ 都是原方程的根.

当 $x=30$ 时，$x-10=20$.

当 $x=4$ 时，$x-10=-6$.

因为注水时间不能为负数，所以只能取 $x=30$.

答：单独开放一个水管把水池注满，甲管需要 20 小时，乙管需要 30 小时.

练　习

1. 解下列方程：

(1) $\frac{4}{x}-\frac{1}{x-1}=1$；　(2) $\frac{2}{x^2-4}+\frac{x-4}{x^2+2x}=\frac{1}{x^2-2x}$.

2. 用换元法解下列方程：

(1) $\left(\frac{x}{x-1}\right)^2-5\left(\frac{x}{x-1}\right)+6=0$；(2) $\frac{3x}{x^2-1}+\frac{x^2-1}{3x}=\frac{5}{2}$.

3. 某工厂贮存 350 吨煤，由于改进炉灶结构和烧煤技术，每天能节约 2 吨煤，使贮存的煤比原计划多用 20 天. 贮存的煤原计划用多少天？每天烧多少吨？

4. 甲、乙两队学生绿化校园. 如果两队合作，6 天可以完成；如果单独工作，甲队比乙队少用 5 天. 两队单独工作各需多少天完成？

5. 甲、乙两组工人合做某项工作，10 天以后，因甲组另有任务，乙组再单独做了 2 天才完成. 如果单独完成这项工作，甲组比乙组可以快 4 天. 求各组单独完成这项工作需要的天数.

6. 一小艇顺流下行 24 千米到目的地，然后逆流回航到出发地，航行时间共 3 小时 20 分. 已知水流速度是 3 千米／时，小艇在静水中的速度是多少？小艇顺流下行和逆流回航的时间各是多少？

习　题　12.7

A　组

1. 解下列方程：

(1) $\dfrac{x-1}{x^2-2x}-\dfrac{1}{x}=\dfrac{x}{x-2}$；

(2) $\dfrac{x+1}{x^2-x}-\dfrac{1}{3x}=\dfrac{x+5}{3x-3}$；

(3) $\dfrac{x}{x+3}+\dfrac{x}{x-3}=\dfrac{18}{x^2-9}$；

(4) $\dfrac{1}{1-x}-2=\dfrac{3x-x^2}{1-x^2}$.

2. 解下列方程：

(1) $\dfrac{1}{2-x}-1=\dfrac{1}{x-2}-\dfrac{6-x}{3x^2-12}$；

(2) $\dfrac{4}{x-5}+\dfrac{x-3}{12-x}=\dfrac{x-45}{x^2-17x+60}$.

3. 用换元法解下列方程：

(1) $\left(\dfrac{x}{x+1}\right)^2+5\left(\dfrac{x}{x+1}\right)+6=0$；

(2) $\dfrac{8(x^2+2x)}{x^2-1}+\dfrac{3(x^2-1)}{x^2+2x}=11$.

4. 从甲站到乙站有150千米，一列快车和一列慢车同时从甲站开出，1小时后，快车在慢车前12千米；快车到达乙站比慢车早25分. 快车和慢车每小时各走几千米？

5. 已知一汽船在顺流中航行46千米和在逆流中航行34千米共用去的时间，正好等于它在静水中航行80千米用去的时间，并且水流速度是2千米/时，求汽船在静水中的速度.

6. 某车间加工 300 个零件，在加工完 80 个后，改进了操作方法，每天能多加工 15 个，一共用 6 天完成了任务. 求改进操作方法后每天加工的零件数.

7. 一个水池有甲、乙两个进水管，甲管注满水池比乙管快 15 小时. 如果单独开放甲管 10 小时，再单独开放乙管 15 小时，就可注满水池的 $\frac{2}{3}$. 求单独开放一个水管，把水池注满各需多少时间.

B 组

1. 解下列关于 x 的方程：

(1) $x+\frac{1}{x}=c+\frac{1}{c}$；

(2) $x+\frac{1}{x-1}=a+\frac{1}{a-1}$；

(3) $\frac{a-x}{b+x}=5-\frac{4(b+x)}{a-x}(a+b\neq 0)$；

(4) $\frac{2x}{x-a}+\frac{12x^2}{a^2-x^2}=\frac{a-x}{x+a}(a\neq 0)$.

2. 解方程：$x^2+x+1=\frac{2}{x^2+x}$.

*12.8 无理方程

> 了解无理方程的概念，掌握可以化为一元二次方程的无理方程(方程中含有未知数的二次根式不超过两个)的解法，并会验根.

我们来看下面的方程：

$$\sqrt{2x^2+7x}-2=x.$$

这个方程的未知数 x 有的含在根号下. 像这样根号下含有未知数的方程，叫做**无理方程**❶. 例如，

$$x-\sqrt{x-1}=3,$$

$$\sqrt{2x-4}+1=\sqrt{x+5}$$

等都是无理方程. 但是，像

$$x^2+2\sqrt{2}x-1=0,$$

$$\frac{x}{\sqrt{2}-1}+\frac{1}{x-2}=1$$

等都不是无理方程，而分别是整式方程和分式方程.

整式方程和分式方程统称**有理方程**.

下面我们研究无理方程的解法. 例如，解我们前面提出的方程

$$\sqrt{2x^2+7x}-2=x.$$

---

❶ 根号下含有字母的式子叫做无理式.

解这个方程，可以先移项，把被开方数中含有未知数的根式放在方程的一边，其余的移到另一边，得

$$\sqrt{2x^2+7x}=x+2.$$

两边平方，得到一个有理方程

$$2x^2+7x=x^2+4x+4.$$

整理后，得

$$x^2+3x-4=0.$$

解这个方程，得

$$x_1=1,\ x_2=-4.$$

检验：把 $x=1$ 代入原方程，

左边 $=\sqrt{2\times1^2+7\times1}-2=\sqrt{2+7}-2=1$，

右边 $=1$，

因此 $x=1$ 是原方程的根；

把 $x=-4$ 代入原方程，

左边 $=\sqrt{2\times(-4)^2+7\times(-4)}-2=0$，

右边 $=-4$，

因此 $x=-4$ 是增根.

∴ 原方程的根是 $x=1$.

从上例可知，在解无理方程时，需要将方程的两边乘方，从而化为有理方程. 这样得到的有理方程有可能产生不适合原方程的根. 因此，解无理方程时，必须把解得的有理方程的根代入原方程进行检验，如果适合，就是原方程的根；如果不适合，就是增根.

例 1 解方程$\sqrt{2x-4}-\sqrt{x+5}=1$.

解:移项,得

$$\sqrt{2x-4}=1+\sqrt{x+5}.$$

两边平方,得

$$2x-4=1+2\sqrt{x+5}+x+5,$$

即

$$x-10=2\sqrt{x+5}.$$

两边再平方,得

$$x^2-20x+100=4(x+5),$$

即

$$x^2-24x+80=0.$$

解这个方程,得

$$x_1=4,\ x_2=20.$$

检验:把 $x=4$ 代入原方程,

左边 $=\sqrt{2\times 4-4}-\sqrt{4+5}=2-3=-1$,

右边 $=1$,

因此 $x=4$ 是增根;

把 $x=20$ 代入原方程,

左边 $=\sqrt{2\times 20-4}-\sqrt{20+5}=6-5=1$,

右边 $=1$,

因此 $x=20$ 是原方程的根.

∴ 原方程的根是 $x=20$.

注意 解这个方程，一般要先移项，使得左边只有一个被开方数中含有未知数的根式，这样解起来比较简便.

例 2 解方程 $2x^2+3x-5\sqrt{2x^2+3x+9}+3=0$.

分析：我们知道 $2x^2+3x+9$ 是 $\sqrt{2x^2+3x+9}$ 的平方，因此，可把原方程变形为

$$2x^2+3x+9-5\sqrt{2x^2+3x+9}-6=0.$$

如果设 $\sqrt{2x^2+3x+9}=y$，那么 $2x^2+3x+9=y^2$，原方程就可变为关于 y 的一元二次方程.

解：设 $\sqrt{2x^2+3x+9}=y$，那么 $2x^2+3x+9=y^2$，因此，$2x^2+3x=y^2-9$. 于是原方程变为

$$y^2-9-5y+3=0,$$

即

$$y^2-5y-6=0.$$

解这个方程，得

$$y_1=-1,\ y_2=6.$$

当 $y=-1$ 时，$\sqrt{2x^2+3x+9}=-1$，根据算术平方根的意义，$\sqrt{2x^2+3x+9}$ 不可能小于 0，所以方程

$$\sqrt{2x^2+3x+9}=-1$$

无解.

当 $y=6$ 时，得

$$\sqrt{2x^2+3x+9}=6.$$

两边平方，得

$$2x^2 + 3x + 9 = 36,$$

即

$$2x^2 + 3x - 27 = 0.$$

解这个方程，得

$$x_1 = 3, x_2 = -\frac{9}{2}.$$

检验：把 $x = 3, x = -\frac{9}{2}$ 分别代入原方程都适合，因此它们都是原方程的根.

∴ 原方程的根是

$$x_1 = 3, \ x_2 = -\frac{9}{2}.$$

练　习

1. 下列方程是否有解？为什么？

(1) $\sqrt{x^2 + 3x + 2} = -4$；　(2) $\sqrt{x + 1} + 3 = 2$.

2. 解下列方程：

(1) $\sqrt{2x + 3} = x$；　(2) $\sqrt{2x + 3} = -x$；

(3) $x + \sqrt{x - 2} = 2$；　(4) $x - \sqrt{x - 2} = 2$；

(5) $\sqrt{1 - x} + \sqrt{12 + x} = 5$；

(6) $\sqrt{3x - 2} + \sqrt{x + 3} = 3$.

3. 用换元法解下列方程：

(1) $x^2 + 8x + \sqrt{x^2 + 8x} = 12$；

(2) $x^2 - 3x - \sqrt{x^2 - 3x + 5} = 1$.

习　题　12.8

A　组

1. 解下列方程：

(1) $\sqrt{x^2-5}=x-1$；

(2) $\sqrt{(x-3)(x-4)}-2\sqrt{3}=0$；

(3) $2(\sqrt{x-3}+3)=x$；

(4) $\sqrt{x^2+4x-1}-\sqrt{x-3}=0$.

2. 解下列方程：

(1) $\sqrt{2x+1}-\sqrt{x+2}=2\sqrt{3}$；

(2) $\sqrt{(x-1)(x-2)}+\sqrt{(x-3)(x-4)}=\sqrt{2}$.

3. 用换元法解下列方程：

(1) $3x^2+15x+2\sqrt{x^2+5x+1}=2$；

(2) $x^2+3-\sqrt{2x^2-3x+2}=\frac{3}{2}(x+1)$；

(3) $\sqrt{\frac{x+2}{x-1}}+\sqrt{\frac{x-1}{x+2}}=\frac{5}{2}$.

B　组

1. 不通过验根，判断下列方程根的情况，并在方程有解的条件下求出其根：

(1) $\sqrt{2x^2-3x+2}+2=0$；

(2) $\sqrt{2x^2+7x}=x+2$.

2. 解关于 x 的方程

$$\sqrt{a-x}+\sqrt{x-b}=\sqrt{a-b}.$$

简单的高次方程的解法

读一读

一个整式方程经过整理后，如果只含有一个未知数，并且未知数的最高次数大于2，这样的方程是**高次方程**. 和解分式方程、无理方程一样，有些特殊的一元高次方程也可以化为一元一次方程或者一元二次方程来解.

例1 解方程 $x^3-2x^2-15x=0$.

我们知道，这是一个高次方程. 方程左边各项都含有 x. 因此，方程可变形为

$$x(x^2-2x-15)=0.$$

由此可得

$$x=0;$$
$$x^2-2x-15=0.$$

这就是说，原方程化为一个一元一次方程和一个一元二次方程. 其中一元二次方程的左边又可分解因式，方程变形为

$$(x+3)(x-5)=0.$$

由此可得

$$x+3=0，或 x-5=0.$$

$$\therefore \quad x=-3，或 x=5.$$

综上所述，原方程的解法如下：

解：将方程左边分解因式，

$$x(x^2-2x-15)=0,$$

$$x(x+3)(x-5)=0.$$

由此得　$x=0$，或 $x+3=0$，或 $x-5=0$.

所以原方程有三个根

$$x_1=0, x_2=-3, x_3=5.$$

例 2　解方程 $x^4-6x^2+5=0$.

这也是一个高次方程. 该方程是一个只含有未知数的偶次项的一元四次方程，叫做**双二次方程**. 这类方程通常用换元法来解，即用辅助未知数 y 代替方程里的 x^2，使这个双二次方程变为关于 y 的一元二次方程. 求出 y 的值后，就可以进一步求出原方程的根了.

解：设 $x^2=y$，那么 $x^4=y^2$，于是原方程变为

$$y^2-6y+5=0.$$

解这个方程，得

$$y_1=1,\ y_2=5.$$

当 $y=1$ 时，$x^2=1$，$x=\pm 1$；

当 $y=5$ 时，$x^2=5$，$x=\pm\sqrt{5}$.

所以原方程有四个根

$$x_1=1,\ x_2=-1,\ x_3=\sqrt{5},\ x_4=-\sqrt{5}.$$

通过上例可以看到，用换元法可以“降次”，从而解出方程. 我们再看下面的例题：

例 3　解方程 $(x^2-x)^2-4(x^2-x)-12=0$.

根据上题的特点，可用辅助未知数 y 代替方程里的 x^2-x，使原方程变为关于 y 的一元二次方程，求出 y 的值后，就可进一步求出原方程的根.

解：设 $x^2-x=y$，原方程变为

$$y^2-4y-12=0.$$

解这个方程，得

$$y_1=6,\ y_2=-2.$$

当 $y=6$ 时，$x^2-x=6$，即

$$x^2-x-6=0.$$

解得

$$x_1=3,\ x_2=-2;$$

当 $y=-2$ 时，$x^2-x=-2$，即

$$x^2-x+2=0.$$

因为 $\Delta=-7<0$，所以这个方程没有实数根.

因此，原方程有两个实数根

$$x_1=3,\ x_2=-2.$$

练　习

解下列方程：

1. (1) $x^3-8x^2+15x=0$；　(2) $3x^4-2x^2-1=0$.

2. $(x^2+2x)^2-14(x^2+2x)-15=0$.

三　简单的二元二次方程组

12.9　由一个二元一次方程和一个二元二次方程组成的方程组

> 1. 了解二元二次方程、二元二次方程组的概念.
> 2. 掌握由一个二元一次方程和一个二元二次方程组成的方程组的解法. 会用代入法求方程组的解.

我们已经知道，方程就是含有未知数的等式. 方程

$$x^2+2xy+y^2+x+y+6=0$$

是一个含有两个未知数，并且含有未知数的项的最高次数是 2 的整式方程，这样的方程叫做**二元二次方程**. 其中 x^2，$2xy$，y^2 叫做这个方程的**二次项**，x，y 叫做**一次项**，6 叫做**常数项**.

我们看下面的两个方程组：

$$\begin{cases}x^2-4y^2+x+3y-1=0,\\2x-y-1=0;\end{cases}$$

$$\begin{cases}x^2+y^2=20,\\x^2-5xy+6y^2=0.\end{cases}$$

第一个方程组是由一个二元二次方程和一个二元一次方程组成的，第二个方程组是由两个二元二次方程组成的. 像这样的方程组叫做**二元二次方程组**.

下面我们先来研究由一个二元二次方程和一个二元一次方程组成的方程组的解法.

一个二元二次方程和一个二元一次方程组成的方程组一般都可以用代入法来解.

例 1 解方程组

$$\begin{cases} x^2-4y^2+x+3y-1=0, & ① \\ 2x-y-1=0. & ② \end{cases}$$

解：由 ②，得

$$y=2x-1. \qquad ③$$

把 ③ 代入 ①，整理，得

$$15x^2-23x+8=0.$$

解这个方程，得

$$x_1=1,\ x_2=\frac{8}{15}.$$

把 $x_1=1$ 代入 ③，得 $y_1=1$；

把 $x_2=\frac{8}{15}$ 代入 ③，得 $y_2=\frac{1}{15}$.

所以原方程组的解是

$$\begin{cases} x_1=1, \\ y_1=1; \end{cases} \quad \begin{cases} x_2=\dfrac{8}{15}, \\ y_2=\dfrac{1}{15}. \end{cases}$$

例 2　解方程组

$$\begin{cases} x+y=7, & ① \\ xy=12. & ② \end{cases}$$

解法 1：由 ①，得

$$x=7-y. \quad ③$$

把 ③ 代入 ②，整理，得

$$y^2-7y+12=0.$$

解这个方程，得

$$y_1=3,\ y_2=4.$$

把 $y_1=3$ 代入 ③，得 $x_1=4$；

把 $y_2=4$ 代入 ③，得 $x_2=3$.

所以原方程组的解是

$$\begin{cases} x_1=4, \\ y_1=3; \end{cases} \qquad \begin{cases} x_2=3, \\ y_2=4. \end{cases}$$

* **解法 2**：对这个方程组，也可以根据一元二次方程的根与系数的关系，把 x,y 看作一个一元二次方程的两个根，通过解这个一元二次方程来求 x,y.

这个方程组的 x,y 是一元二次方程

$$z^2-7z+12=0$$

的两个根，解这个方程，得

$$z=3, \text{或 } z=4.$$

所以原方程组的解是

$$\begin{cases} x_1 = 3, \\ y_1 = 4; \end{cases} \quad \begin{cases} x_2 = 4, \\ y_2 = 3. \end{cases}$$

练　习

1. 下列各组中 x, y 的值是不是方程组

$$\begin{cases} x^2 + y^2 = 13, \\ x + y = 5 \end{cases}$$

的解？

(1) $\begin{cases} x = 2, \\ y = 3; \end{cases}$　　(2) $\begin{cases} x = 3, \\ y = 2; \end{cases}$

(3) $\begin{cases} x = 1, \\ y = 4; \end{cases}$　　(4) $\begin{cases} x = -2, \\ y = -3. \end{cases}$

2. 解下列方程组：

(1) $\begin{cases} y = x + 5, \\ x^2 + y^2 = 625; \end{cases}$

(2) $\begin{cases} x^2 - 6x - 2y + 11 = 0, \\ 2x - y + 1 = 0. \end{cases}$

3. 解下列方程组：

(1) $\begin{cases} x + y = 3, \\ xy = -10; \end{cases}$　　(2) $\begin{cases} x + y + 5 = 0, \\ xy + 14 = 0. \end{cases}$

习　题　12.9

A　组

解下列方程组：

1. (1) $\begin{cases} x+y+1=0, \\ x^2+4y^2=8; \end{cases}$　　(2) $\begin{cases} (x-3)^2+y^2=9, \\ x+2y=0. \end{cases}$

2. (1) $\begin{cases} \dfrac{x^2}{5}+\dfrac{y^2}{4}=1, \\ y=x-3; \end{cases}$　　(2) $\begin{cases} \dfrac{(x+1)^2}{9}-\dfrac{(y-1)^2}{4}=1, \\ x-y=1. \end{cases}$

3. (1) $\begin{cases} x+y=6, \\ xy=7; \end{cases}$　　(2) $\begin{cases} x+y=\dfrac{5}{3}, \\ xy=-4. \end{cases}$

B　组

1. 解下列方程组：

(1) $\begin{cases} \sqrt{x}+\sqrt{y}=3, \\ \sqrt{xy}=2. \end{cases}$　　(2) $\begin{cases} \dfrac{4}{x-1}=\dfrac{5}{y+1}+1, \\ \dfrac{3}{x+3}=\dfrac{2}{y}. \end{cases}$

2. 解方程组 $\begin{cases} (x+2)(y-2)=xy, \\ \sqrt{(x+1)(y+4)}+x+3=0. \end{cases}$

3. 如果矩形的一条边增加 1 厘米，而相邻的边减少 1 厘米，那么它的面积就增加 3 平方厘米. 已知这个矩形原来的面积是 12 平方厘米，求它的长和宽.

*12.10 由一个二元二次方程和一个可以分解为两个二元一次方程的方程组成的方程组

> 掌握由一个二元二次方程和一个可以分解为两个二元一次方程的方程组成的方程组的解法.

对于由两个二元二次方程组成的方程组，这里只讲由一个二元二次方程和一个可以分解为两个二元一次方程的方程组成的方程组的解法，现举例如下.

例 解方程组

$$\begin{cases} x^2+y^2=20, & ① \\ x^2-5xy+6y^2=0. & ② \end{cases}$$

分析：在这个方程组中，方程 ② 的左边可以分解为两个一次因式的积 $(x-2y)(x-3y)$，而右边为 0. 因此，方程 ② 可化为两个二元一次方程

$$x-2y=0,$$

$$x-3y=0,$$

它们与方程 ① 分别组成方程组

$$\begin{cases} x^2+y^2=20, \\ x-2y=0, \end{cases} \quad \begin{cases} x^2+y^2=20, \\ x-3y=0. \end{cases}$$

解这两个方程组，就得到原方程组的所有的解.

解：由 ②，得

$$(x-2y)(x-3y)=0.$$

所以

$$x-2y=0, \text{或 } x-3y=0.$$

因此，原方程组可化为两个方程组

$$\begin{cases} x^2+y^2=20, \\ x-2y=0, \end{cases} \quad \begin{cases} x^2+y^2=20, \\ x-3y=0. \end{cases}$$

用代入法解这两个方程组，得原方程组的解为

$$\begin{cases} x_1=4, \\ y_1=2; \end{cases} \quad \begin{cases} x_2=-4, \\ y_2=-2; \end{cases}$$

$$\begin{cases} x_3=3\sqrt{2}, \\ y_3=\sqrt{2}; \end{cases} \quad \begin{cases} x_4=-3\sqrt{2}, \\ y_4=-\sqrt{2}. \end{cases}$$

练　习

1. 把下列方程化为两个二元一次方程：

(1) $x^2-3xy+2y^2=0$；　(2) $x^2-4xy+3y^2=0$；

(3) $x^2-6xy+9y^2=16$；(4) $2x^2-5xy=3y^2$.

2. 解下列方程组：

(1) $\begin{cases} x^2-3xy+2y^2=0, \\ 3x^2+2xy=20; \end{cases}$　(2) $\begin{cases} x^2+y^2=5, \\ 2x^2-3xy-2y^2=0. \end{cases}$

习　题　12.10

A　组

1. 把下列方程化为两个二元一次方程：

(1) $(x+y)^2-3(x+y)-10=0$；

(2) $x^2-4xy+4y^2-2x+4y=3$.

2. 解下列方程组：

(1) $\begin{cases} x^2-2xy-3y^2=0, \\ y=\frac{1}{4}x^2; \end{cases}$　(2) $\begin{cases} x^2-4xy+3y^2=0, \\ x^2+y^2=10. \end{cases}$

3. 解方程组

$$\begin{cases} x^2-5x-y^2-5y=0, \\ x^2+xy+y^2=49. \end{cases}$$

B　组

1. 解下列方程组：

(1) $\begin{cases} (x-2y-1)(x-2y+1)=0, \\ (3x-2y+1)(2x+y-3)=0; \end{cases}$

(2) $\begin{cases} x^2+2xy+y^2=25, \\ 9x^2-12xy+4y^2=9. \end{cases}$

2. 解下列方程组：

(1) $\begin{cases} x^2+2xy+y^2=9, \\ (x-y)^2-3(x-y)-10=0; \end{cases}$

(2) $\begin{cases} (x+y)^2-4(x+y)=5, \\ (x-y)^2-2(x-y)=3. \end{cases}$

小结与复习

一、内容提要

1. 本章主要内容是一元二次方程的解法及其应用，可化为一元二次方程的分式方程，以及简单的（由一个二元一次方程和一个二元二次方程组成的）二元二次方程组的解法．此外，还讲了一元二次方程的根的判别式．

2. 一元二次方程

$$ax^2+bx+c=0(a\neq 0)：$$

当 $b^2-4ac>0$ 时，有两个不相等的实数根；

当 $b^2-4ac=0$ 时，有两个相等的实数根；

当 $b^2-4ac<0$ 时，没有实数根．

3. 我们学过的方程和方程组有整式方程（一元一次方程、一元二次方程），分式方程，以及二元一次方程组、二元二次方程组等．

在我们学过的方程中，一元一次方程和一元二次方程是最基本的，熟练地解一元一次方程和一元二次方程是学好解其他方程（组）的关键．

解方程（组）的基本思想是：多元方程要“消元”，次数高的方程要“降次”，分式方程要“去分母”，化为整式方程．最后归结为解一元一次方程或一元二次方程．

4. 本章实际上介绍了一元二次方程的四种解法——直接开平方法、配方法、公式法和因式分解法. 一般地，公式法对于解任何一元二次方程都适用，是解一元二次方程的主要方法. 但在解题时，应具体分析方程的特点，选择适当的方法.

在解分式方程时，需要将方程的两边都乘以各分式的最简公分母，使之变形为整式方程. 这种变形有可能产生增根. 因此，必须检验变形后方程的根是不是原方程的根.

解简单的二元二次方程组，通常用代入法进行消元.

*5. 如果一元二次方程 $ax^2+bx+c=0(a\neq 0)$ 的两个根是 x_1, x_2，那么 $x_1+x_2=-\frac{b}{a}, x_1x_2=\frac{c}{a}$.

以两个数 x_1, x_2 为根的一元二次方程(二次项系数为 1) 是 $x^2-(x_1+x_2)x+x_1x_2=0$.

*6. 在解无理方程时，需要将方程两边乘方相同的次数，使之变形为有理方程. 这种变形有可能产生增根. 因此，必须检验变形后方程的根是不是原方程的根.

*7. 由一个二元二次方程和一个可以分解为两个二元一次方程的方程组成的二元二次方程组，可以用因式分解方法来求解.

二、学习要求

1. 了解一元二次方程的概念，掌握一元二次方程的公式解法和其他解法. 能够根据方程的特征，灵活运用一元二次方程的解法求方程的根.

理解一元二次方程的根的判别式，会运用它解决一些简单的问题. 会列出一元二次方程解应用题.

2. 掌握可化为一元二次方程的分式方程的解法，并会验根.

3. 了解二元二次方程、二元二次方程组的概念，掌握由一个二元二次方程和一个二元一次方程组成的二元二次方程组的解法，会用代入法求方程组的解.

4. 结合学习，进一步提高逻辑思维能力；通过解二元二次方程组，进一步理解“消元”、“降次”的数学方法，获得对事物可以转化的进一步认识.

*5. 掌握一元二次方程根与系数的关系，会用它解决一些简单的问题.

*6. 了解无理方程的概念，掌握可化为一元二次方程的无理方程的解法，并会验根.

*7. 掌握由一个二元二次方程和一个可以分解为两个二元一次方程的方程组成的二元二次方程组的解法.

三、需要注意的几个问题

1. 一元二次方程是初中数学中的重要内容，学习和运用一元二次方程，不仅综合运用了以前所学的多方面的知识，同时也为进一步的学习和应用打好了基础. 因此，在学习一元二次方程时，一方面要通过一元二次方程的学习，巩固、加深对已学过的数与式及其运算的认识，和对已学过的一元一次方程及其解法的认识，同时也要注意把这部分知识学好，为今后学习二次函数、一元二次不等式、二次曲线等数学知识打好基础，发挥好它的承前启后作用.

2. 本章内容较多，但其重点和关键是一元二次方程的解法，特别是其中的公式法. 要在掌握一元二次方程各种解法的前提下，牢固掌握解一元二次方程的公式法（包括公式的推导），为学习本章其他内容打好基础.

3. 一般地说，配方法是推导公式的工具，掌握公式法之后，就可以直接用公式法解一元二次方程了. 配方法除了用于推导一元二次方程的求根公式以外，在学习其他数学内容时也有广泛的应用. 配方法是一个很重要的数学方法，一定要把它学好.

复习题十二

A 组

1. ❶计算：

(1) $(3a^2b+4ab-2ab^2)+(ab^2-3ab-2a^2b)$；

(2) $(x^3+3y^2-2x-1)-2(1-x+y^2-x^2)$；

(3) $5x(x^2-x-2)-4(x^3-2x^2+3x-2)$；

(4) $3ab(2a-b)-2ab(3a-2b)+ab^2$.

2. 计算：

(1) $2(x+7)(x-2)$；　(2) $(x-y-3)(x-y)$；

(3) $(x+2)(x-2)(x+1)(x-1)$；

(4) $(2m^2+3-4m)(3m-4-2m^2)$.

3. 化简：

(1) $x(y-z)+y(z-x)+z(x-y)$；

(2) $(a+3)(a+2)-a(a+1)-7$；

(3) $2(y-2)(y+3)-(2y-3)(y+2)$；

(4) $x^2-(x+1)(x-5)-5$.

4. 计算：

(1) $\dfrac{x}{x-2}-\dfrac{x+3}{x+2}+\dfrac{x}{x^2-4}$；(2) $\dfrac{2y+1}{y-1}-\dfrac{3y}{y+2}-\dfrac{-y^2-2}{y^2+y-2}$；

(3) $\dfrac{x-1}{x^2+3x+2}-\dfrac{6}{x^2-x-2}$；

(4) $\dfrac{1}{x-3}+\dfrac{2}{x+2}-\dfrac{2}{x-2}-\dfrac{1}{x+3}$.

---

❶ 第1～10题供复习《代数》第一、二册中学过的内容. 在学习本章的过程中,可以根据情况选用.

5. 计算：

(1) $\left(1+\frac{1}{x}\right)\left(2+\frac{1}{x+1}\right)$；

(2) $(x^2+6x+8)\cdot\frac{x+1}{x^2+5x+6}$；

(3) $\frac{x+2}{x^2+8x-9}\div\frac{3}{2x+18}$；

(4) $(4x^2-y^2)\div\frac{4x^2-4xy+y^2}{2x-y}$.

6. 计算：

(1) $\sqrt{14}\cdot\sqrt{7x}+\sqrt{45x}\cdot 2\sqrt{10}$；

(2) $(3\sqrt{2}+2\sqrt{3})\div(3\sqrt{2}-2\sqrt{3})$；

(3) $\frac{\sqrt{x+1}+\sqrt{x}}{\sqrt{x+1}-\sqrt{x}}-\frac{\sqrt{x+1}-\sqrt{x}}{\sqrt{x+1}+\sqrt{x}}$；

(4) $\frac{1}{\sqrt{3}+\sqrt{2}}+\frac{1}{\sqrt{2}+1}-\frac{2}{\sqrt{3}-1}$.

7. 解下列方程：

(1) $-6x-7=-5x+3$；

(2) $36-2(x-28)=-4(2x+52)$；

(3) $\frac{7}{x-4}-\frac{5}{x-2}=0$；　(4) $\frac{5x}{x+1}-\frac{x}{x+6}=4$.

8. 解下列方程：

(1) $6x-2(x+3)+8=17+2(x+4)-1$；

(2) $x-\frac{1}{3}\left[x-\frac{1}{4}\left(x-1\frac{1}{3}\right)\right]-\frac{3}{2}=2\left(x+\frac{3}{4}\right)$；

(3) $\frac{4}{x+3}+\frac{x}{x-3}=1-\frac{2x}{x^2-9}$；

(4) $\frac{1}{x+7}-\frac{1}{2x^2-3x+1}=\frac{2(x+1)}{2x^2+13x-7}$.

9. 解下列不等式：

(1) $\frac{2x-1}{3}<1-\frac{4x+3}{2}$；

(2) $\frac{2-3x}{6}-\frac{x+2}{4}>\frac{2x-3}{3}-x$.

10. 解下列方程组：

(1) $\begin{cases}-3x+2y=-3,\\5x-3y=5;\end{cases}$

(2) $\begin{cases}3x-4y=43,\\x+y=-9;\end{cases}$

(3) $\begin{cases}x-5y=20,\\3x+7y=-6;\end{cases}$

(4) $\begin{cases}x+2y=0,\\5x-6y=-4;\end{cases}$

(5) $\begin{cases}7x-3y=10,\\\frac{7}{2}x+6y=50;\end{cases}$

(6) $\begin{cases}ax+ab=by,\\bx+ay=ba(a,b\neq 0).\end{cases}$

11. 解下列方程：

(1) $x^2-64=0$； (2) $y^2+6=7$；

(3) $3x^2=36$； (4) $(x-4)^2=0$；

(5) $4(y-5)^2=16$； (6) $x^2=4x$；

(7) $2x^2+4x=1$； (8) $6(y+3)^2=24$；

(9) $x^2+4x-2=0$； (10) $x^2+2x-4=0$；

(11) $x^2+2x-48=0$； (12) $x^2+18x+81=0$；

(13) $x^2=8x+20$； (14) $x^2-5=x$.

12. 解下列方程：

(1) $(2x+1)^2+(x-2)^2-(2x+1)(x-2)=43$；

(2) $x^2-(1+2\sqrt{3})x-3+\sqrt{3}=0$；

(3) $\dfrac{x+1}{(x+3)(x-1)}-\dfrac{2x-2}{(x+3)(2-x)}=\dfrac{6x}{(1-x)(x-2)}$；

*(4) $\dfrac{\sqrt{x+1}-\sqrt{x-1}}{\sqrt{x+1}+\sqrt{x-1}}=2-x$.

13. 下列各题中，已知的字母都表示正数.

(1) 在公式 $S=\dfrac{\pi D^2}{2}+\pi Dh$ 中，已知 S、π、h，求 D；

(2) 在公式 $Q=mg+\dfrac{mv^2}{R}(Q>mg)$ 中，已知 Q,m,g,R，求 v；

(3) 在公式 $mf=\left(\dfrac{m}{K}-1\right)\dfrac{1}{K}$ 中，已知 m,f，求 K；

(4) 在公式 $\dfrac{1}{R}=\dfrac{1}{r}-\dfrac{1}{r-r_1}(r_1>4R)$ 中，已知 R,r_1，求 r；

(5) 在公式 $c=\sqrt{a^2+b^2}$ 中，已知 a,c，且 $c>a$，求 b.

*14. 如果一元二次方程 $ax^2+bx+c=0$ 的二根之比为 $2:3$，求证 $6b^2=25ac$.

*15. 利用根与系数的关系，求一个一元二次方程，使它的根分别是方程 $x^2+px+q=0$ 的各根的

(1) 相反数； (2) 倒数； (3) 平方.

16. 把下列各式分解因式：

(1) $a^2+2a-120$； (2) $-6p^2+11p+10$；

(3) $3x^2-xy-10y^2$； (4) $15a^2-8ab-12b^2$；

(5) $2x^2-4x-3$； (6) x^2-5x+5.

17. 用长为100cm的金属丝制成一个矩形框子，框子各边的长取多少厘米时，框子的面积是

(1) $500cm^2$？

(2) $625cm^2$？

(3) 能制成面积是$800cm^2$的矩形框子吗？

18. 已知一个多边形的对角线共有35条，这个多边形是几边形？

19. (1) 有四个连续整数. 已知它们的和等于其中最大的与最小的两个整数的积，求这四个数.

(2) 有三个连续奇数. 已知它们的平方和等于251，求这三个数.

20. 如图，在$\triangle ABC$中，$\angle B=90°$，点P从点A开始沿AB边向点B以1厘米/秒的速度移动，点Q从点B开始沿BC边向点C以2厘米/秒的速度移动，如果P,Q分别从A,B同时出发，几秒后$\triangle PBQ$的面积等于8厘米²？

(第20题)

21. 一个容器盛满纯药液63升，第一次倒出一部分纯药液后，用水加满，第二次又倒出同样多的药液，再用水加满，这时，容器内剩下的纯药液是28升. 每次倒出液体多少升？

22. 一个容器盛满烧碱溶液，第一次倒出10升后，用水加满，第二次又倒出10升，再用水加满，这时容器内的溶液浓度是原来浓度的$\frac{1}{4}$. 求容器的容积.

23. 解下列方程组：

(1) $\begin{cases} x^2-y^2-3x+2y=10, \\ x+y=7; \end{cases}$

(2) $\begin{cases} x+y=17, \\ x^2+y^2=169; \end{cases}$

(3) $\begin{cases} (x-2)^2+(y+3)^2=9, \\ 3x-2y=6; \end{cases}$

(4) $\begin{cases} 4x^2-9y^2=15, \\ 2x-3y=5. \end{cases}$

B 组

1. 解下列方程：

(1) $(x^2-10)^2+3x^2=28$；

(2) $(2x-3)^4-6(2x-3)^2+9=0$；

(3) $(x^2-x)^2-4(2x^2-2x-3)=0$；

(4) $(x^2+3x+4)(x^2+3x+5)=6$；

(5) $x^2+3x-\dfrac{20}{x^2+3x}=8$；

(6) $\left(\dfrac{x^2-1}{x}\right)^2-\dfrac{7}{2}\left(\dfrac{x^2-1}{x}\right)+3=0$.

2. 在实数范围内把下列各式分解因式：

(1) $\sqrt{3}\,a^2-\sqrt{6}\,a-\sqrt{2}\,a+2$；

(2) $9m^4-\dfrac{1}{4}n^4$；

(3) x^4-x^2-6；

(4) $6x^4-7x^2-3$；

(5) $9x^2-12xy+y^2$；

(6) $5x^2y^2+xy-7$.

3. (1) 已知

$$\begin{cases}x=1,\\ y=\frac{3}{2}\sqrt{3},\end{cases}\quad \begin{cases}x=\frac{2}{3}\sqrt{5},\\ y=-2\end{cases}$$

是方程$\frac{x^2}{a^2}+\frac{y^2}{b^2}=1$的两个解,求正数$a$,$b$的值;

(2) 已知

$$\begin{cases}x=-5\sqrt{2},\\ y=2,\end{cases}$$

$$\begin{cases}x=6\\ y=-\frac{2}{5}\sqrt{11}\end{cases}$$

是方程$\frac{x^2}{a^2}-\frac{y^2}{b^2}=1$的两个解,求正数$a$,$b$的值.

4. (1) m取什么值时,方程组

$$\begin{cases}y^2=4x,\\ y=2x+m\end{cases}$$

有一个实数解?并求出这时方程组的解;

(2) m取什么值时,方程组

$$\begin{cases}x^2+2y^2=6,\\ mx+y=3\end{cases}$$

有一个实数解?并求出这时方程组的解.

自我测验十二

（满分100分，时间45分）

1. （每空3分，共30分）填空：

(1) $ax^2+bx+c=0(a\neq0)$ 叫做____的一般形式. 设 x_1, x_2 分别为 $ax^2+bx+c=0(a\neq0)$ 的两个根，则：

$x_1=$____， $x_2=$____，

$x_1+x_2=$____， $x_1\cdot x_2=$____.

(2) x^2+8x+____$=(x+$____$)^2$；

$x^2-\frac{3}{2}x+$____$=(x+$____$)^2$.

(3) 在 $ax^2+bx+c=0(a\neq0)$ 中，当 $b^2-4ac\geqslant0$ 时，方程有____.

2. （每小题5分，共30分）解下列方程：

(1) $3x^2-147=0$； (2) $(2x-1)^2-9=0$；

(3) $3x^2-11x-4=0$； (4) $3y(y-1)=2-2y$；

(5) $(x+\sqrt{3})^2=4\sqrt{3}x$； (6) $x^2-4x-3=0$.

3. （每小题6分，共12分）解下列方程：

(1) $(2x-3)(x-4)=9$；

(2) $\left(\frac{x}{x-1}\right)^2+6=5\left(\frac{x}{x-1}\right)$.

4. （每小题6分，共12分）解下列方程组：

(1) $\begin{cases}x+y=5,\\xy=4;\end{cases}$

(2) $\begin{cases}x-3y=0,\\x^2+y^2=20.\end{cases}$

5. (每小题 8 分,共 16 分)解应用题:

(1)已知两个数的和等于 11,积等于 24,求这两个数;

(2)某校办工厂生产的某种产品,今年产量为 200 件,计划通过改革技术,使今后两年的产量都比前一年增长一个相同的百分数,这样,三年(包括今年)的总产量达到 1400 件,求这个百分数.

附加题 (每小题 5 分,共 10 分,成绩不计入总分)

(1)选择题

已知一元二次方程 $x^2+px+q=0$ 的两个根分别为 $x_1=3, x_2=-4$,则二次三项式 x^2-px+q 可分解为 ( )

(A) $(x+3)(x-4)$.　　(B) $(x-3)(x+4)$.

(C) $(x+3)(x+4)$.　　(D) $(x-3)(x-4)$.

(2)解方程 $\sqrt{2x^2-6x+4}=x-1$.

第十三章 函数及其图象

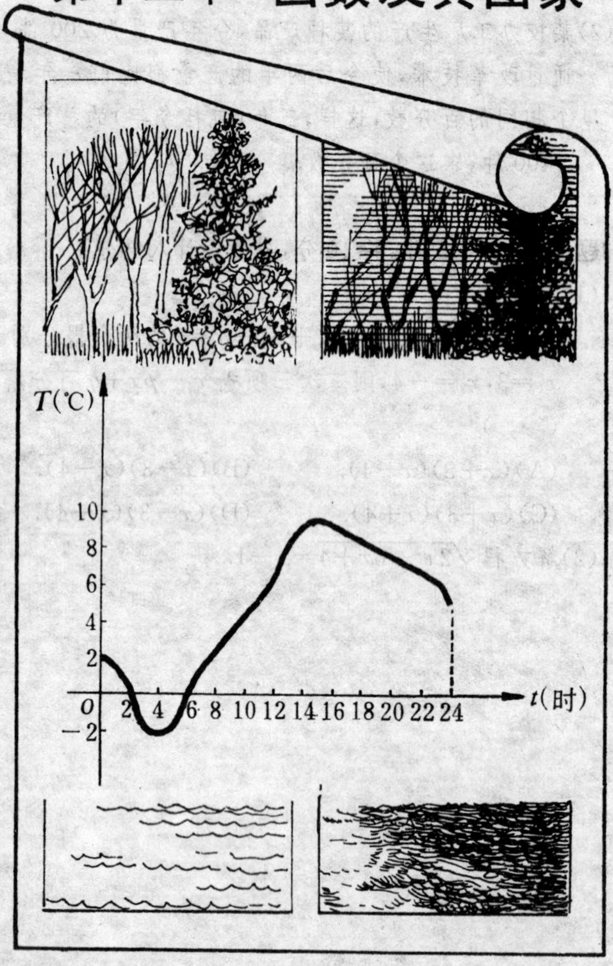

在每天的天气预报中，都要提到一天的最高气温与最低气温.我们知道，通常下午气温较高，午夜以后气温较低，实际上，一天的气温是随着时间在变化的.像这种一个量随着另一个量而变化的现象，就属于代数中函数部分所讨论的范围.

从科研、生产和生活需要出发，气象工作者的一项日常工作就是随时测量气温，测量的结果一般都绘制有如左页的气温图，这个图就反映了一天中气温随时间变化的情形.

观察左页的气温图：

1.你能看出8时、12时、18时的气温各是多少吗？

2.你能看出这一天的最高气温与最低气温是多少吗？

在本章中，我们将学习有关一种量随另一种量变化的一些基本问题，其中包括如何用式子和图、表来描述、刻划这种变化的内容.

13.1 平面直角坐标系

> 1. 能正确画出直角坐标系.
> 2. 能在直角坐标系中，根据坐标找出点，由点求出坐标.

图 13-1 是一条数轴，数轴上的点与实数是一一对应的. 数轴上每个点都对应一个实数，这个实数叫做这个点在数轴上的坐标. 例如，点 A 在数轴上的坐标是 4，点 B 在数轴上的坐标是 -2.5. 知道一个点的坐标，这个点的位置就确定了.

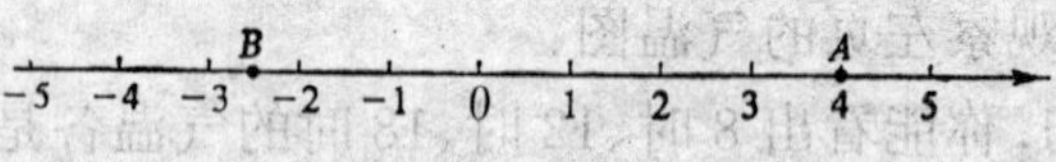

图 13-1

我们学过利用数轴研究一些数量关系的问题，在实际中，还会遇到利用平面图形研究数量关系的问题，如前两页中看到的反映一天温度随时间变化的图形，这就需要考虑确定平面内点的位置的方法.

想一想，在教室里，怎样确定一个同学的座位？例如，李力同学在第 3 行第 4 排. 平面内点的位置可以用一对实数表示.

为了用一对实数表示平面内的点，在平面内画两条互相垂直的数轴，组成**平面直角坐标系**（图 13-2），水平的数轴叫做 **x 轴**或**横轴**，取向右为正方向，铅直的数轴叫做 **y 轴**或**纵轴**，取向上为正方向，两轴交点 O 是**原点**. 这个平面叫做**坐标平面**.

x 轴和 y 轴把坐标平面分成四个象限，编号如图 13-2 所示. 但坐标轴上的点，也就是 x 轴、y 轴上的点，不在任一象限内.

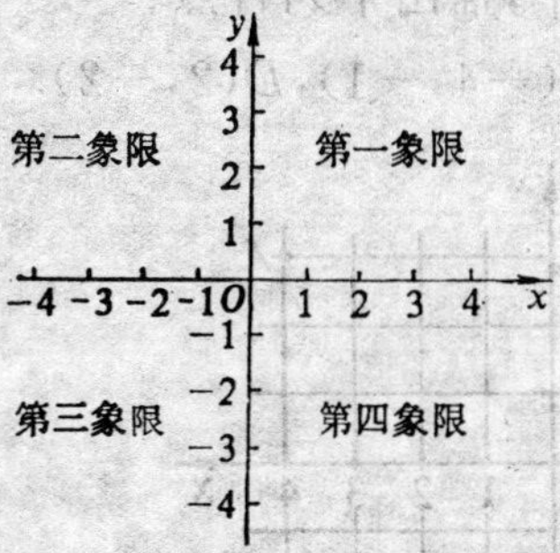

图 13-2

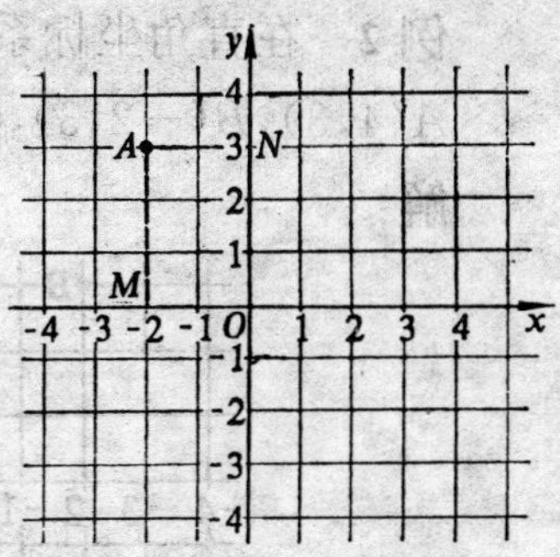

图 13-3

看图 13-3 中的直角坐标系. 由点 A 向 x 轴作垂线，垂足 M 在 x 轴上的坐标是 -2，由点 A 向 y 轴作垂线，垂足 N 在 y 轴上的坐标是 3. 我们说点 A 的**横坐标**是 -2，**纵坐标**是 3，合起来点 A 的**坐标**记作 $(-2,3)$，横坐标写在纵坐标前面，$(-2,3)$ 是一对有序实数.

例 1 写出图 13-4 中 A,B,C,D 各点的坐标.

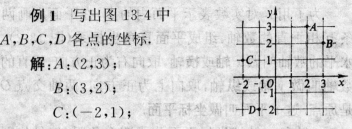

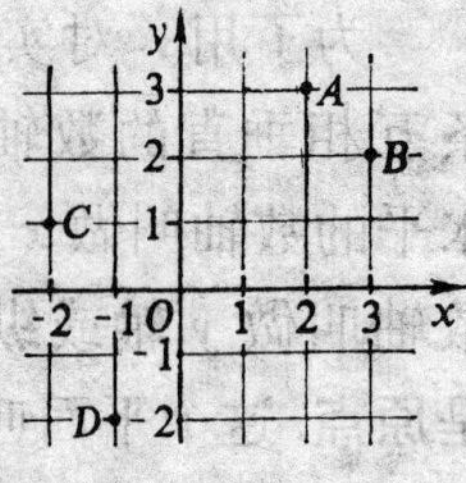

图 13-4

解：A：$(2,3)$；

B：$(3,2)$；

C：$(-2,1)$；

D：$(-1,-2)$.

注意 (1) A,B 是坐标平面内不同的两点，相应的坐标 $(2,3)$ 与 $(3,2)$ 是两个不同的有序实数对.

(2) 点 A 的坐标是 $(2,3)$，可以记作 $A(2,3)$.

例 2 在直角坐标系中，描出下列各点：

$A(4,3)$，$B(-2,3)$，$C(-4,-1)$，$D(2,-2)$.

解：

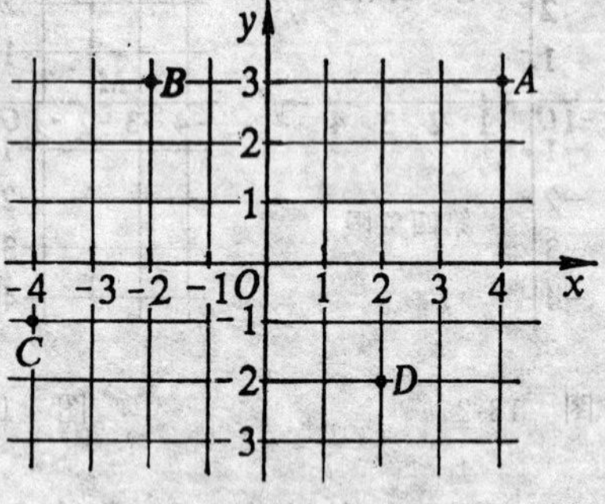

图 13-5

练 习

1. 写出数轴上 A,B,C,D,E 各点的坐标.

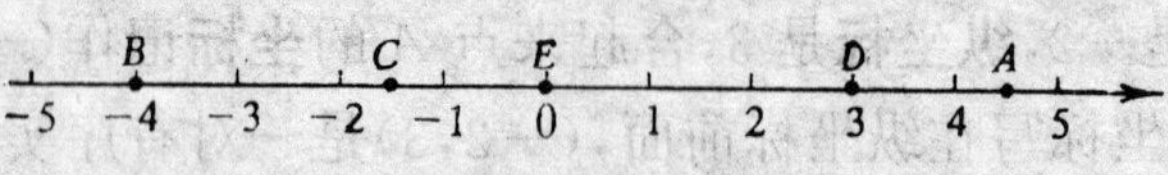

2. 在数轴上画出坐标如下的点：

$$-1, 4, 2.5, 0, -1.5, -3, 0.5.$$

3. 写出直角坐标系中，A，B，C，D，E，F，O 各点的坐标.

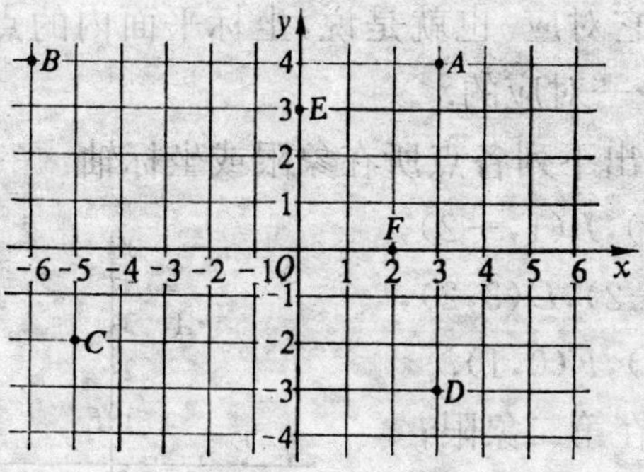

4. 在所给直角坐标系中描出下列各点：

$A(6,3)$，$B(-1.5,3.5)$，$C(-4,-1)$，$D(2,-3)$，

$E(3,0)$，$F(-2,0)$，$G(0,4)$，$H(0,-4)$.

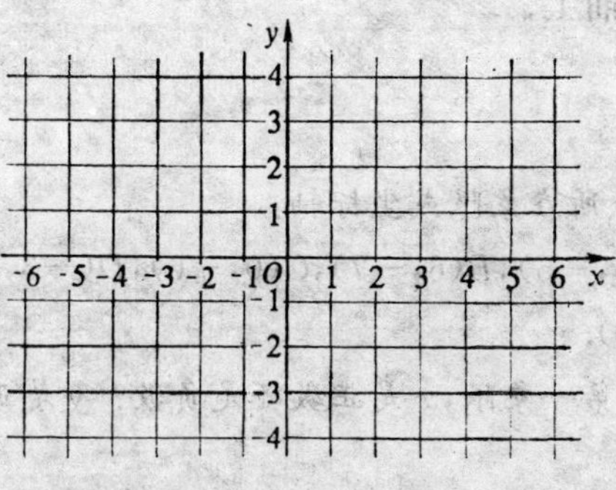

我们知道，数轴上的点与实数是一一对应的. 而从前面的例题与练习中，可以看出：对于坐标平面内任意一点 M，都有唯一的一对有序实数 (x,y) 和它对应；对于任意一对有序实数 (x,y)，在坐标平面内都有唯一的一点 M 和它对应. 也就是说，坐标平面内的点与有序实数对是一一对应的.

例 3 指出下列各点所在象限或坐标轴：

$A(-2,3)$，$B(1,-2)$，

$C(-1,-2)$，$D(3,2)$，

$E(-3,0)$，$F(0,1)$.

解：A 点在第二象限；

B 点在第四象限；

C 点在第三象限；

D 点在第一象限；

E 点在 x 轴上；

F 点在 y 轴上.

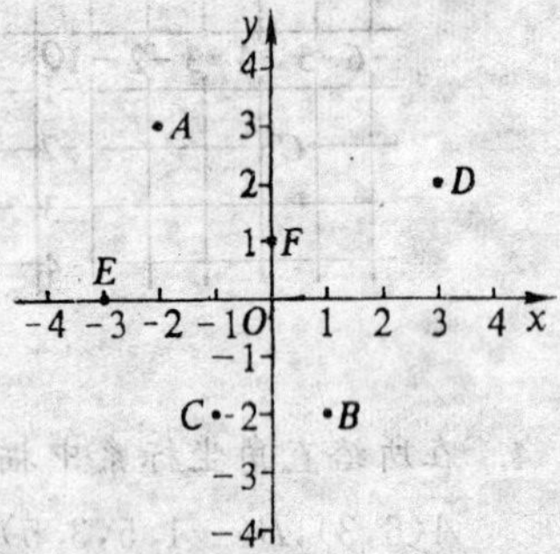

图 13-6

练 习

1. 指出下列各点所在象限或坐标轴：

   $A(-3,-5)$，$B(6,-7)$，$C(0,-6)$，$D(-3,5)$，

   $E(4,0)$.

2. 点 $P(x,y)$ 在第一象限，x 是正数还是负数？y 是正数还是负数？

习 题 13.1

A 组

1. 根据下图填表：

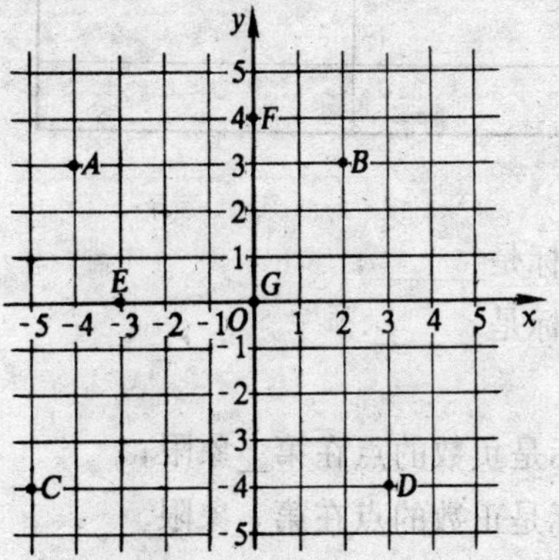

点	坐标	所在象限或坐标轴
A		
B		
C		
D		
E		
F		
G		

2. 在坐标系中描出下列各点，并顺次用线段连接各点：

(1) $A(-2,-3)$，$B(0,-1)$，$C(2,1)$，$D(4,3)$；

(2) $A(-4,-3)$，$B(4,-3)$，$C(2,1)$，$D(-2,1)$.

3. 指出下列各点所在象限或坐标轴：

$A(-1,-2.5)$，$B(\sqrt{3},-4)$，$C\left(-\frac{1}{3},\sqrt{5}\right)$，$D(7,9)$，

$E(-\pi,0)$，$F\left(0,-\frac{2}{3}\right)$，$G(7.1,0)$，$H(0,\sqrt{10})$.

4. 填空：

(1) 点 $P(5,-3)$关于 x 轴对称的点的坐标是______；

(2) 点 $P(3,-5)$关于 y 轴对称的点的坐标是______；

(3) 点 $P(-2,-4)$关于原点对称的点的坐标是______.

5. 根据点所在象限用“+”、“−”号填表：

象限	横坐标符号	纵坐标符号
第一象限		
第二象限		
第三象限		
第四象限		

6. 填空：

(1) 在 x 轴上的点的纵坐标是______；

(2) 在 y 轴上的点的横坐标是______.

7. 填空：

(1) 横坐标是正数，纵坐标是负数的点在第__象限；

(2) 横坐标是负数，纵坐标是正数的点在第__象限.

B 组

1. 根据下列条件求正方形 $ABCD$ 的顶点 D 的坐标：

(1) $A(-4,0)$，$B(0,0)$，$C(0,4)$；

(2) $A(-1,-2)$，$B(4,-2)$，$C(4,3)$.

2. 以原点 O 为圆心，以 $\sqrt{2}$ 为半径画一圆，写出圆与坐标轴交点的坐标.

3. 各写出 5 个满足下列条件的点，并在坐标系中描出它们：

(1) 横坐标与纵坐标相等；

(2) 横坐标与纵坐标互为相反数；

(3) 横坐标与纵坐标的和是 5.

观察一下每 5 个点的位置，有什么特点？

13.2 函数

> 1. 能分清实例中出现的常量与变量、自变量与函数.
> 2. 对简单的函数表达式，能确定自变量的取值范围，会求出函数值.

在学习与生活中，经常要研究一些数量关系，先看下面的例子.

一辆汽车以30千米/时的速度行驶，行驶的路程 s（千米）与行驶的时间 t（时）有怎样的关系呢？这个关系可以表示成

$$s=30t.$$

这里，路程 s 的数值是随时间 t 的数值变化而变化的，s 与 t 之间有一种对应关系. s 与 t 可以取不同的数值，是**变量**；而30的数值保持不变，是**常量**. 在变量 s 与变量 t 的关系式 $s=30t$ 中，给变量 t 一个值，就可以相应地得到变量 s 的唯一的一个值，我们说变量 t 是**自变量**，变量 s 是 t 的**函数**.

一般地，设在一个变化过程中有两个变量 x 与 y，如果对于 x 的每一个值，y 都有唯一的值与它对应，那么就说 x 是**自变量**，y 是 x 的**函数**.

例如，圆的面积$S(cm^2)$与它的半径$R(cm)$之间的关系是

$$S=\pi R^2.$$

在这个式子中有两个变量S与R，对于半径R的每一个值，面积S都有唯一的值与它对应，因此说面积S是半径R的函数，R是自变量.

例 1 用总长为 60m 的篱笆围成矩形场地，求矩形面积$S(m^2)$与一边长$l(m)$之间的关系式，并指出式中的常量与变量，函数与自变量.

解：$S=l(30-l)$.

其中 30 是常量，S与l是变量；S是l的函数，l是自变量.

练 习

1. 设路程为s(千米)，速度为v(千米/时)，时间为t(时)，指出下列各式中的变量与常量：

   (1) $v=\frac{s}{6}$；　　(2) $t=\frac{50}{v}$；

   (3) $s=15t+t^2$.

2. 写出下列函数关系式，并指出式中的函数与自变量：

   (1) 每个同学购一本代数教科书，书的单价是 2 元，求总金额Y(元)与学生数n(个)的关系；

   (2) 计划购买 50 元的乒乓球，求所能购买的总数n(个)与单价a(元)的关系.

前面例子中的函数，都是利用数学式子(即解析式)表示的. 例如：

$$s=30t,$$

$$S=\pi R^2.$$

这种用数学式子表示函数的方法叫做解析法. 在用解析式表示函数时，要考虑自变量的取值必须使解析式有意义.

例 2 求下列函数中自变量 x 的取值范围：

(1) $y=2x+3$； (2) $y=-3x^2$；

(3) $y=\dfrac{1}{x-1}$； (4) $y=\sqrt{x-2}$.

分析：在(1)，(2)中，x 取任意实数，$2x+3$ 与 $-3x^2$ 都有意义；在(3)中，$x=1$ 时，$\dfrac{1}{x-1}$没有意义；在(4)中，$x<2$ 时，$\sqrt{x-2}$没有意义.

解：(1) 全体实数；

(2) 全体实数；

(3) $x\neq1$；

(4) $x\geqslant2$.

注意 在确定函数中自变量的取值范围时，如果遇到实际问题，还必须使实际问题有意义. 例如，函数解析式 $S=\pi R^2$ 中自变量 R 的取值范围是全体实数，如果式子表示圆面积 S 与圆半径 R 的关系，那么自变量 R 的取值范围就应该是 $R>0$.

对于函数 $y=x(30-x)$，当自变量 $x=5$ 时，对应的函数 y 的值是

$$y=5\times(30-5)=5\times25=125.$$

125 叫做这个函数当 $x=5$ 时的函数值.

例 3 求下列函数当 $x=2$ 时的函数值：

(1) $y=2x-5$； (2) $y=-3x^2$；

(3) $y=\frac{2}{x-1}$； (4) $y=\sqrt{2-x}$.

解：(1) 当 $x=2$ 时，$y=2\times2-5=-1$；

(2) 当 $x=2$ 时，$y=-3\times2^2=-12$；

(3) 当 $x=2$ 时，$y=\frac{2}{2-1}=2$；

(4) 当 $x=2$ 时，$y=\sqrt{2-2}=0$.

练 习

1. 求下列函数中自变量 x 的取值范围：

(1) $y=\frac{x-1}{2}$； (2) $y=\frac{3}{x-4}$；

(3) $y=-\sqrt{x-5}$； (4) $y=\frac{1}{x^2-x-2}$.

2. 设电报收费标准是每个字 0.1 元，写出电报费 y(元)与字数 x(个)之间的函数关系式，并求自变量 x 的取值范围.

3. 求下列函数当 $x=9$，$x=30$ 时的函数值：

(1) $y=-\sqrt{x-5}$； (2) $y=\frac{1}{x^2-x-2}$.

习 题 13.2

A 组

1. 分别指出下列各关系式中的变量与常量：

(1) 球的表面积 $S(\mathrm{cm}^2)$ 与球半径 $R(\mathrm{cm})$ 的关系式是 $S=4\pi R^2$；

(2) 设圆柱的底面半径 $R(\mathrm{m})$ 不变，圆柱的体积 $V(\mathrm{m}^3)$ 与圆柱的高 $h(\mathrm{m})$ 的关系式是 $V=\pi R^2 h$；

(3) 以固定的速度 v_0（米/秒）向上抛一个小球，小球的高度 h（米）与小球运动的时间 t（秒）之间的关系式是 $h=v_0 t-4.9t^2$.

2. 分别写出下列函数关系式，并指出式中的自变量与函数：

(1) 设一长方体盒子高为 10 cm，底面是正方形，求这个长方体的体积 $V(\mathrm{cm}^3)$ 与底面边长 $a(\mathrm{cm})$ 的关系；

(2) 秀水村的耕地面积是 $10^6(\mathrm{m}^2)$，求这个村人均占有耕地面积 $x(\mathrm{m}^2)$ 与人数 n 的关系；

(3) 设地面气温是 20℃，如果每升高 1km，气温下降 6℃，求气温 t(℃) 与高度 $h(\mathrm{km})$ 的关系.

3. 求下列函数中自变量 x 的取值范围：

(1) $y=3x^2-5x$；　　(2) $y=x(x^2-1)$；

(3) $y=\dfrac{x+1}{x^2-x-6}$；　　(4) $y=\dfrac{3x}{4x^2-9}$；

(5) $y=\sqrt{2x-5}$；

(6) $y=x+\sqrt{x+2}$.

4. 某礼堂共有 25 排座位，第 1 排有 20 个座位，后面每排比前一排多 1 个座位，写出每排的座位数 m 与这排的排数 n 的函数关系式，并求自变量 n 的取值范围.

5. 求下列函数当 $x=-4, \frac{1}{2}$ 时的函数值：

(1) $y=(x+1)(x-2)$； (2) $y=x^2-2x+3$；

(3) $y=\frac{x+4}{x-3}$； (4) $y=\sqrt{4x+18}$.

6. 已知函数 $y=x^2-3x+4$，填表：

x	-2	-1	0	1	$1\frac{1}{2}$	2	3	4
y								

7. 当 x 取什么值时，下列函数的函数值为 0：

(1) $y=3x-5$； (2) $y=2x^2-5x+3$；

(3) $y=(x-1)\left(x+\frac{1}{2}\right)$； (4) $y=\frac{x-2}{x-1}$.

B 组

1. 分别写出下列函数关系式，并求自变量的取值范围：

(1) 设圆柱的底面直径与高 h 相等，求圆柱体积 V 与底面半径 R 的关系；

(2) 等腰三角形的顶角的度数 y 与底角的度数 x 的关系.

2. 已知函数 $y=ax+b$（a,b 是常量）当 $x=1$ 时，$y=7$；当 $x=2$ 时，$y=16$. 求 a,b 的值.

13.3 函数的图象

> 1. 能画出简单函数的图象.
> 2. 知道还可以用列表或画图象的方法表示函数.

一种豆子每千克售 2 元，即单价是 2 元/千克. 豆子总的售价 y(元)与所售豆子的数量 x(千克)之间的函数关系可以表示成

$$y=2x.$$

这里 x 是自变量，y 是 x 的函数.

根据上面的函数解析式，给 x 一个值，能计算出 y 的一个相应的值，这样，就可以列出下表：

x(千克)	0	0.5	1	1.5	2	2.5	3
y(元)	0	1	2	3	4	5	6

通过列表给出 y 与 x 的对应数值，也可以表示 y 与 x 的函数关系，这种表示函数的方法叫做列表法. 不少售货员为了便于计价，常常制作这种表示售价与数量关系的表.

上表给出的是一列实数对，如果规定把自变量 x 的值写在前面，就可以得到一列有序实数对：(0,0)，(0.5,1)，(1,2)，…. 想一想，有序实数对与坐标平面内的点之间有什么关系？

在 13.1 节中学习过，坐标平面内的点与有序实数对是一一对应的：坐标平面内任意一点 M，对应它的坐标 (x, y)；任意一对有序实数 (x, y)，对应坐标平面内一点 $M(x, y)$. 一个函数可以用列表法表示，表中给出了有序实数对，是不是就可以描出相应的点，从而把函数与坐标平面内的图形联系起来呢？

先看一个简单的函数

$$y=x.$$

列出 x 与 y 的对应值表：

x	-3	-2	-1	0	1	2	3
y	-3	-2	-1	0	1	2	3

由表中给出的有序实数对，可以在直角坐标系中描出相应的点，如图 13-7 所示.

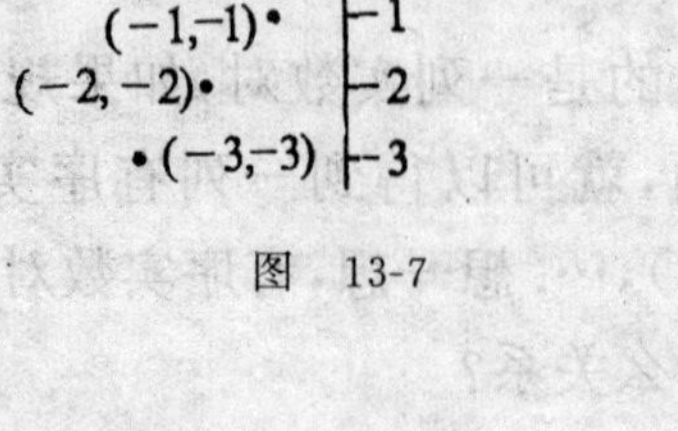

图 13-7

表中给出的有序实数对越多，相应地，在坐标平面内描出的点也就越多. 对于函数 $y=x$，因为 x 可以取任意实数，所以，可以得到无数多个有序实数对，对应坐标平面内无数多个点. 实际上，这无数多个点组成了如图 13-8 的坐标系中所示的图形.

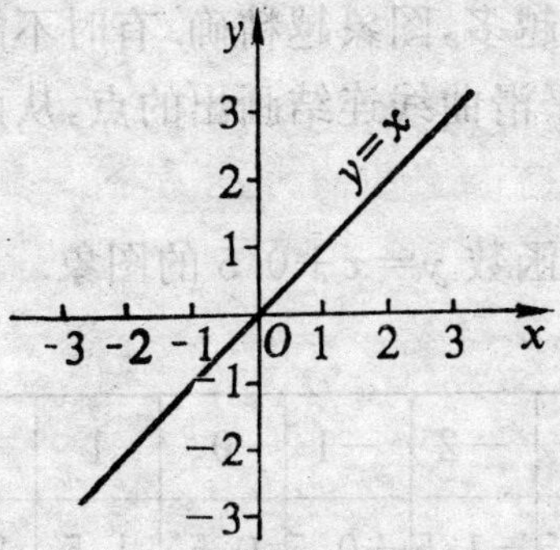

图 13-8

对于函数 $y=x$，在坐标平面内描出的点是横坐标与纵坐标相等的点，由几何知识知道，这样的点组成的图形是一条直线，这条直线就是函数 $y=x$ 的图象. 一般地，对于一个函数，如果把自变量 x 与函数 y 的每对对应值分别作为点的横坐标与纵坐标，在坐标平面内描出相应的点，这些点所组成的图形，就是这个函数的**图象**. 可以用图象直观、形象地表示一个函数，如本章开始时表示一天气温变化的图.

由函数解析式画图象，一般按下列步骤进行：

1. 列表. 列表给出自变量与函数的一些对应值.

2. 描点. 以表中对应值为坐标，在坐标平面内描出相应的点.

3. 连线. 按照自变量由小到大的顺序，把所描各点用平滑的曲线连结起来.

描出的点越多，图象越精确. 有时不能把所有的点都描出，就用平滑曲线连结画出的点，从而得到函数的近似的图象.

例 画出函数 $y=x+0.5$ 的图象.

解：列表：

x	-3	-2	-1	0	1	2	3
y	-2.5	-1.5	-0.5	0.5	1.5	2.5	3.5

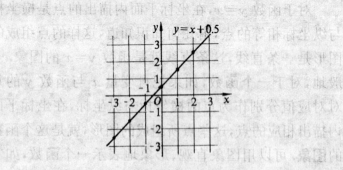

描点，并画图.

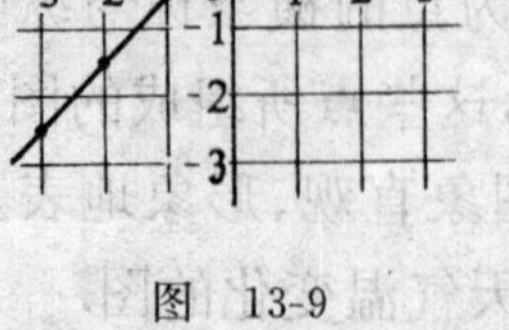

图 13-9

练 习

1. 画出函数 $y=0.5x$ 的图象（先填下表，再在所给直角坐标系内描点、连线）：

x	-5	-3	-1	0	1	3	5
y							

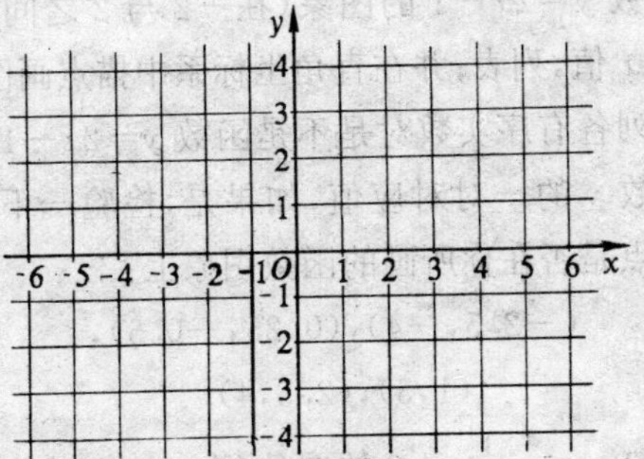

2. 画出函数 $y=x+1$ 的图象（先填下表，再在所给直角坐标系内描点、连线）：

x	-3	-2	-1	0	1	2	3
y							

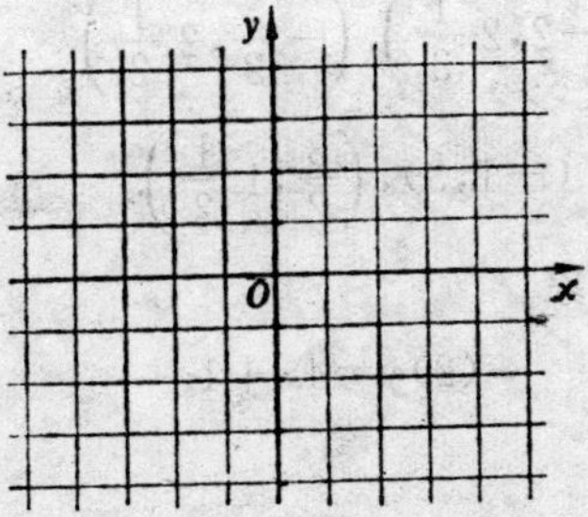

习 题 13.3

A 组

1. (1)画出函数 $y=2x-1$ 的图象(在 -2 与 2 之间,每隔 0.5 取一个 x 值,列表;并在直角坐标系中描点画图).

(2)判断下列各有序实数对是不是函数 $y=2x-1$ 的自变量 x 与函数 y 的一对对应值,如果是,检验一下具有相应坐标的点是否在你所画的函数图象上:

$$(-2.5,-4),(0.25,-0.5),$$

$$(1,3),(2.5,4).$$

2. (1)画出函数 $y=-\frac{1}{3}x+2$ 的图象(在 -4 与 4 之间,每隔 1 取一个 x 值,列表;并在直角坐标系中描点画图).

(2)判断下列各有序实数对是不是函数 $y=-\frac{1}{3}x+2$ 的自变量 x 与函数 y 的一对对应值,如果是,检验一下具有相应坐标的点是否在你所画的函数图象上:

$$\left(-2,2\frac{1}{3}\right),\left(-\frac{3}{2},2\frac{1}{2}\right),$$

$$(-1,3),\left(\frac{3}{2},1\frac{1}{2}\right).$$

3. 画出下列函数的图象:

(1)$y=4x-1$;　　　　(2)$y=4x+1$.

4. 下图是北京春季某一天的气温随时间变化的图象：

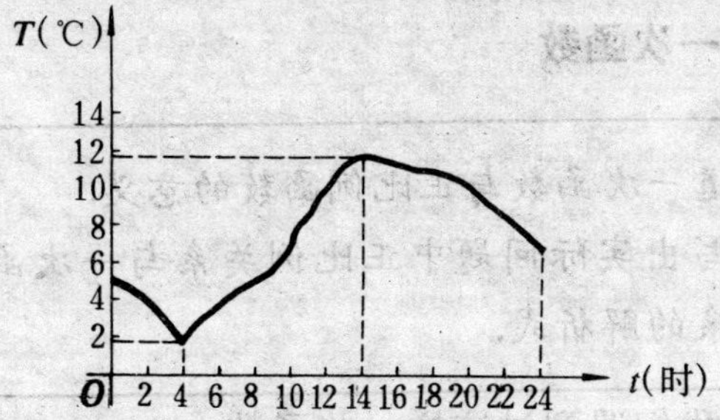

根据图象回答，在这一天：

(1) 8 时，12 时，20 时的气温各是多少；

(2) 最高气温与最低气温各是多少；

(3) 什么时间气温最高，什么时间气温最低.

B 组

1. 画出函数 $y=x^2$ 的图象（先填下表，再描点，然后用平滑曲线顺次连结各点）：

x	-2	-1.5	-1	-0.5	0	0.5	1	1.5	2
y									

2. 画出函数 $y=\dfrac{6}{x}$ 的图象（先填下表，再描点，然后用平滑曲线顺次连结各点）：

x	-6	-5	-4	-3	-2	-1	1	2	3	4	5	6
y												

13.4 一次函数

> 1. 知道一次函数与正比例函数的意义.
> 2. 能写出实际问题中正比例关系与一次函数关系的解析式.

在前面我们遇到过这样一些函数：

$$y=x,$$

$$s=30t,$$

$$y=2x+3,$$

$$y=-\frac{1}{3}x+2.$$

这些函数有什么共同点呢？不难看出，函数都是用自变量的一次式表示的，可以写成

$$y=kx+b \quad (k\neq 0)$$

的形式.

一般地，如果

$$y=kx+b(k, b\text{ 是常数}, k\neq 0),$$

那么，y 叫做 x 的**一次函数**.

特别地，当 $b=0$ 时，一次函数 $y=kx+b$ 就成为

$$y=kx(k\text{ 是常数}, k\neq 0),$$

这时，y 叫做 x 的**正比例函数**.

例 1　一个小球由静止开始在一个斜坡上向下滚动，其速度每秒增加 2 米/秒.

(1)求小球速度 v(米/秒)与时间 t(秒)之间的函数关系式；

(2)求 3.5 秒时小球的速度.

分析：v 与 t 是正比例关系.

解：(1)$v=2t$；

(2)$t=3.5$ 时，$v=2\times3.5=7$(米/秒).

例 2　拖拉机开始工作时，油箱中有油 40 升. 如果每小时耗油 6 升，求油箱中的余油量 Q(升)与工作时间 t(时)之间的函数关系式.

分析：t 小时耗油 $6t$ 升，从原有油量中减去 $6t$，就是余油量.

解：$Q=40-6t$.

练　习

1. (口答)下列函数中，哪些是一次函数？哪些又是正比例函数？

(1)$y=-8x$；　　(2)$y=\frac{-8}{x}$；

(3)$y=8x^2$；　　(4)$y=8x+1$.

2. 填空：一中的校办工厂现在年产值是 15 万元，计划今后每年增加 2 万元，年产值 y(万元)与年数 x 的函数关系式是__________，5 年后的年产值是__________.

习 题 13.4

A 组

1. 每盒铅笔有 12 支，售 1.8 元，求铅笔售价 y(元)与铅笔支数 x 之间的函数关系式.

2. 汽车离开 A 站 4 千米后，以 40 千米/时的平均速度前进了 t 小时，求汽车离开 A 站的距离 s(千米)与时间 t(时)之间的函数关系式.

3. 某种储蓄的月利率是 0.6%，存入 100 元本金，求本息和(本金与利息的和) y(元)与所存月数 x 之间的函数关系式，并计算 4 个月后的本息和.

4. 一水库现蓄水 $a\text{m}^3$，从开闸放水起，每小时放水 $b\text{m}^3$，同时，从上游每小时流入水库 $c\text{m}^3$ 水，求水库蓄水量 $y(\text{m}^3)$与开闸时间 t(时)之间的函数关系式.

5. 在同一直角坐标系中画出以下三个函数的图象：

$$y=2x,\quad y=2x-1,\quad y=2x+1.$$

B 组

1. 汽车由天津驶往相距 120 千米的北京，它的平均速度是 30 千米/时，求汽车距北京的路程 s(千米)与行驶时间 t(时)的函数关系式，写出自变量取值范围.

2. 从 A 地向 B 地打长途电话，按时收费，3 分内收费 2.4 元，每加 1 分加收 1 元，求时间 $t\geqslant 3$(分)时电话费 y(元)与 t 之间的函数关系式.

13.5 一次函数的图象和性质

> 1. 会画出正比例函数与一次函数的图象，并能结合图象说出它们的性质.
> 2. 会用待定系数法确定一次函数的解析式.

前面画过函数 $y=x$ 及另外一些一次函数的图象，知道函数 $y=x$ 的图象是一条直线. 实际上所有一次函数的图象都是一条直线.

因为两点确定一条直线，所以画一次函数的图象时，只要先描出两点，再连成直线，就可以了.

下面画正比例函数 $y=0.5x$ 与 $y=-0.5x$ 的图象. 先各选取两点：

x	0	1
y	0	0.5

x	0	1
y	0	-0.5

再描点连线(图 13-10)：

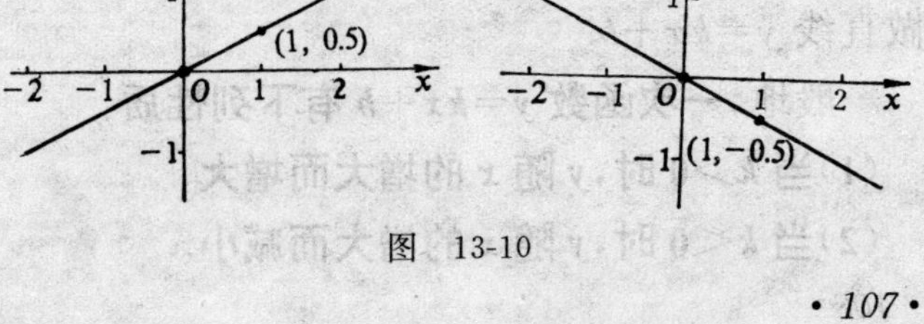

图 13-10

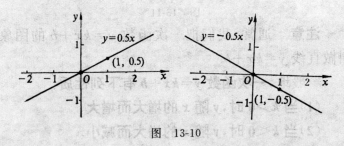

注意 画正比例函数 $y=kx$ 的图象,通常选取 $(0,0)$,$(1,k)$ 两点连线.

结合图象可知,对于 $y=0.5x$,y 随 x 的增大而增大;对于 $y=-0.5x$,y 随 x 的增大而减小.

一般地,**正比例函数 $y=kx$ 有下列性质:**

(1)当 $k>0$ 时,y 随 x 的增大而增大;

(2)当 $k<0$ 时,y 随 x 的增大而减小.

例 1 在同一直角坐标系内画出下列函数图象:

$$y=2x+1, y=-2x+1.$$

解:

x	0	-0.5
y	1	0

x	0	0.5
y	1	0

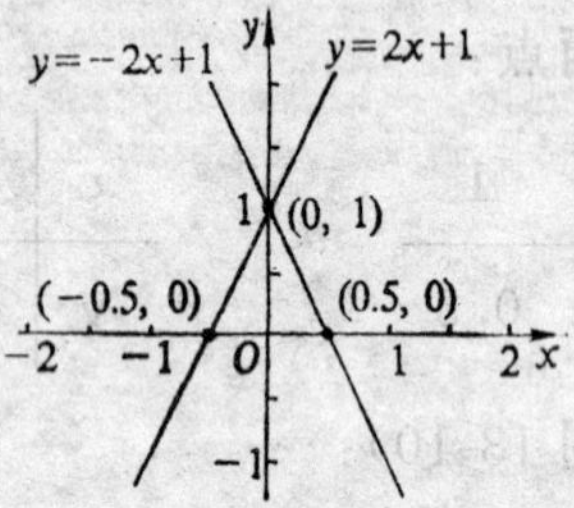

图 13-11

注意 通常,我们把一次函数 $y=kx+b$ 的图象叫做直线 $y=kx+b$.

一般地,**一次函数 $y=kx+b$ 有下列性质:**

(1)当 $k>0$ 时,y 随 x 的增大而增大;

(2)当 $k<0$ 时,y 随 x 的增大而减小.

练 习

1. 在下面的直角坐标系内画出下列函数的图象：

$$y=3x, y=-3x, y=3x+3, y=-3x+3.$$

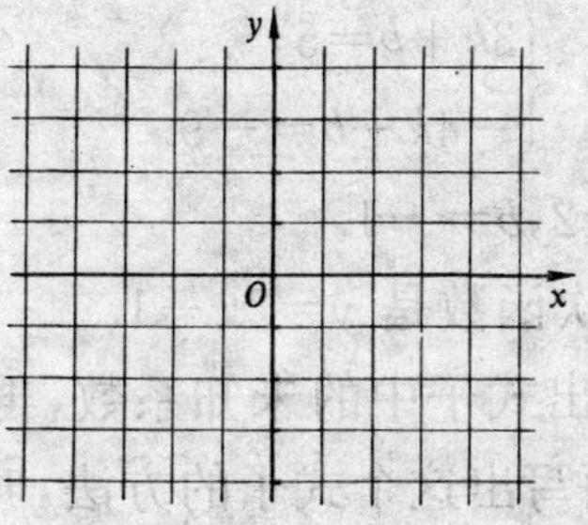

2. 填空：

(1) 函数 $y=4x$ 的图象经过点 $(0, \_\_)$ 与点 $(1, \_\_)$，y 随 x 的增大而______；

(2) 函数 $y=1-5x$ 的图象经过点 $(0, \_\_)$ 与点 $(\_\_, 0)$，y 随 x 的增大而_______.

下面看一个问题. 如果知道一个一次函数当自变量 $x=3$ 时，函数值 $y=5$，当 $x=-4$ 时，$y=-9$. 能不能写出这个一次函数的解析式呢？

根据一次函数的意义，可以设这个一次函数为

$$y=kx+b,$$

问题就归结为如何求出 k 与 b 的值了.

由已知条件 $x=3$ 时，$y=5$，得

$$5=3k+b.$$

由已知条件 $x=-4$ 时，$y=-9$，得

$$-9=-4k+b.$$

两个条件都要满足，得二元一次方程组

$$\begin{cases}3k+b=5,\\-4k+b=-9.\end{cases}$$

解得 $k=2, b=-1.$

∴ 这个一次函数是 $y=2x-1$.

像这样先设出式子中的未知系数，再根据条件求出未知系数，从而写出这个式子的方法，叫做**待定系数法**.

例 2 已知直线 $y=kx+b$ 经过点(9，10)和点(24，20)，求 k 与 b.

解：由已知条件，得

$$\begin{cases}9k+b=10,\\24k+b=20.\end{cases}$$

解得 $k=\frac{2}{3}, \quad b=4.$

练 习

1. 已知一次函数 $y=kx+2$ 当 $x=5$ 时的值为 4，求 k；
2. 已知直线 $y=kx+b$ 经过点(-2，-1)和点(3，-3)，求 k 与 b.

习 题 13.5

A 组

1. 分别画出下列函数的图象：

(1) $y=4x+5$；　　(2) $y=3-x$；

(3) $y=\frac{1}{2}x-4$；　　(4) $y=-\frac{2}{3}x+6$.

2. 在同一坐标系内，画出下列直线：

$y=2x+3$，　　$y=2x-3$，

$y=-x+3$，　　$y=-x-3$.

3. 画出函数 $y=3x+12$ 的图象. 利用图象：

(1) 求当 $x=-2,-1,\frac{1}{2}$ 时 y 的值；

(2) 求当 $y=3,9,-3$ 时对应的 x 的值；

(3) 求方程 $3x+12=0$ 的解.

4. (1) 已知一次函数 $y=kx+b$ 在 $x=-4$ 时的值为 9，在 $x=6$ 时的值为 3，求 k 与 b；

(2) 已知直线 $y=kx+b$ 经过点 $(-4,9)$ 和点 $(6,3)$，求 k 与 b，并画出这条直线.

5. 一个弹簧，不挂物体时长 12cm，挂上物体后会伸长，伸长的长度与所挂物体的质量成正比例. 如果挂上 3kg 物体后，弹簧总长是 13.5cm，求弹簧总长 y(cm) 与所挂物体质量 x(kg) 之间的函数关系式.

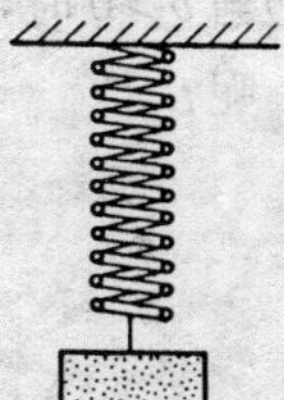

(第 5 题)

函数解析式

通过二个点，求关系式

6. 已知 $y-3$ 与 x 成正比例，且 $x=2$ 时 $y=7$.

(1)写出 y 与 x 之间的函数关系式；

(2)计算 $x=4$ 时 y 的值；

(3)计算 $y=4$ 时 x 的值.

B 组

1. 利用前页 A 组第 3 题的图象：

(1)求不等式 $3x+12>0$ 的解集；

(2)如果这个函数 y 的值在 $-6 \leqslant y \leqslant 6$ 范围内，求相应的 x 的值在什么范围内.

2. 写出满足下表的一个一次函数的关系式：

x	-1	2	5
y	7.5	6	4.5

3. 观察你画过的一次函数的图象，回答下列问题：

(1)当 $k>0$ 时，$y=kx$ 的图象经过哪几个象限？当 $k<0$ 时呢？

(2)当 $b>0$ 时，$y=x+b$ 的图象经过哪几个象限？当 $b<0$ 时呢？

读一读

二元一次方程组的图象解法

看一个二元一次方程

$$y=2x+3.$$

我们可以列表把这个方程的解表示出来：

x	…	-3	-2	-1	0	1	…
y	…	-3	-1	1	3	5	…

由表中给出的有序实数对…，$(-3,-3)$，$(-2,-1)$，$(-1,1)$，$(0,3)$，$(1,5)$，…，就可以在坐标平面内描点、画图(图 1). 这样得出来的图形就是二元一次方程 $y=2x+3$ 的图象. 图象上每一个点的坐标，如$(-3,-3)$，就表示方程 $y=2x+3$ 的一个解 $\begin{cases}x=-3,\\y=-3.\end{cases}$

对比一次函数的图象，不难知道，二元一次方程 $y=2x+3$ 的图象就是一次函数 $y=2x+3$ 的图象，它是一条直线.

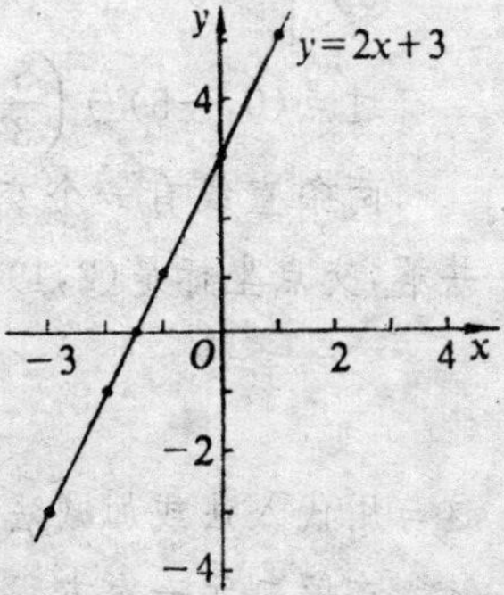

图 1

怎样利用图象解二元一次方程组呢？看下面的例子：

$$\begin{cases} x+y=3, & ① \\ 3x-y=5. & ② \end{cases}$$

先在同一直角坐标系内分别画出这两个二元一次方程的图象(图 2).

由方程①，有

x	0	3
y	3	0

过点(0,3)与(3,0)画出直线 $x+y=3$.

由方程②，有

x	0	$\frac{5}{3}$
y	-5	0

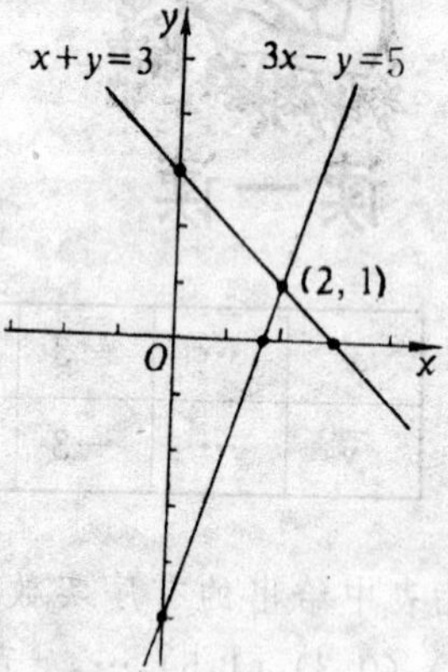

图 2

过点(0,−5)与$\left(\frac{5}{3},0\right)$画出直线 $3x-y=5$.

两条直线有一个交点，交点的坐标就表示两个方程的公共解，交点坐标是(2,1)，所以原方程组的解是

$$\begin{cases} x=2, \\ y=1. \end{cases}$$

这与用代入法或加减法解得的结果相同.

在解二元一次方程组时，会遇到其中一个方程是

$$x=3, \text{或 } y=2$$

这种形式.

$x=3$ 或 $y=2$ 的图象是怎样的呢？

方程 $x=3$ 可以看成

$$x+0\cdot y=3,$$

它的解列出表来是

x	…	3	3	3	3	…
y	…	-1	0	1	2	…

可以看到，无论 y 取什么数值，x 的值都是 3，所有表示方程 $x=3$ 的解的点组成一条直线，这条直线过点 $(3,0)$，且平行于 y 轴. 这条直线就是方程 $x=3$ 的图象，我们把它叫做直线 $x=3$（图 3）.

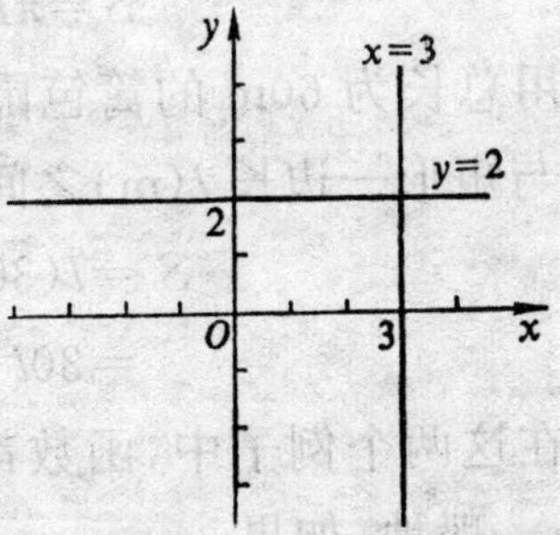

图 3

同样，方程 $y=2$ 的图象是过点 $(0,2)$，且平行于 x 轴的一条直线，叫做直线 $y=2$（图 3）.

练　习

1. 利用图象解下列方程组：

(1) $\begin{cases} x-y=5, \\ y=3-x; \end{cases}$　　(2) $\begin{cases} 2x+3y=5, \\ 3x-y=2. \end{cases}$

2. 画出下列直线：

(1) $x=-2$；　　(2) $y=-3$.

13.6 二次函数 $y=ax^2$ 的图象

> 1. 知道二次函数的意义.
> 2. 会用描点法画出函数 $y=ax^2$ 的图象，知道抛物线的有关概念.

圆的半径是 R(cm)，它的面积 S(cm²)是与半径 R 的平方成正比的：

$$S=\pi R^2.$$

用总长为 60m 的篱笆围成矩形场地，矩形面积 S (m²)与矩形一边长 l(m)之间的关系是：

$$\begin{aligned} S &= l(30-l) \\ &= 30l-l^2. \end{aligned}$$

在这两个例子中，函数都是用自变量的二次式表示的. 一般地，如果

$$y=ax^2+bx+c\ (a,b,c \text{ 是常数}, a\neq 0),$$

那么，y 叫做 x 的**二次函数**.

练　习

1. (口答)下列函数中，哪些是二次函数？

(1) $y=3x-1$；　　(2) $y=3x^2-1$；

(3) $y=3x^3+2x^2$；　　(4) $y=2x^2-2x+1$.

2. 写出正方体的表面积 S(cm²)与正方体棱长 a(cm)之间的函数关系式.

一次函数的图象是一条直线，二次函数的图象是什么形状呢？让我们先看最简单的二次函数 $y=x^2$.

要画二次函数 $y=x^2$ 的图象，先要列表，考虑到自变量 x 可以取任意实数，因此以 0 为中心选取 x 的值，列出函数对应值表：

x	-3	-2	-1	0	1	2	3
y	9	4	1	0	1	4	9

然后在坐标平面中描点(图 13-12)，再用平滑曲线顺次连结各点，得到函数 $y=x^2$ 的图象(图 13-13).

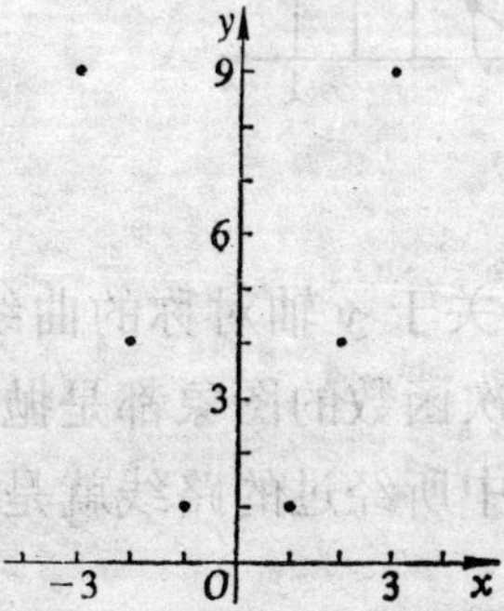

图 13-12

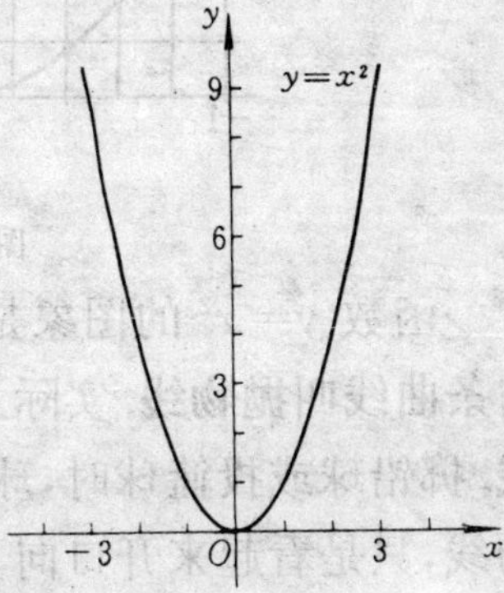

图 13-13

注意 x 还可以取比 3 大或比 -3 小的值，图象还可延伸. 画出的图象是近似的，点取得越多越精确.

为了说明函数 $y=x^2$ 图象的形状，我们把原点附近的部分再画细一些. 在 -1 与 1 之间，每隔 0.2 取一个 x 的值，列出下表：

x	-1	-0.8	-0.6	-0.4	-0.2	0	0.2	0.4	0.6	0.8	1
y	1	0.64	0.36	0.16	0.04	0	0.04	0.16	0.36	0.64	1

描点、连线，就得到原点附近部分比较精确的图象：

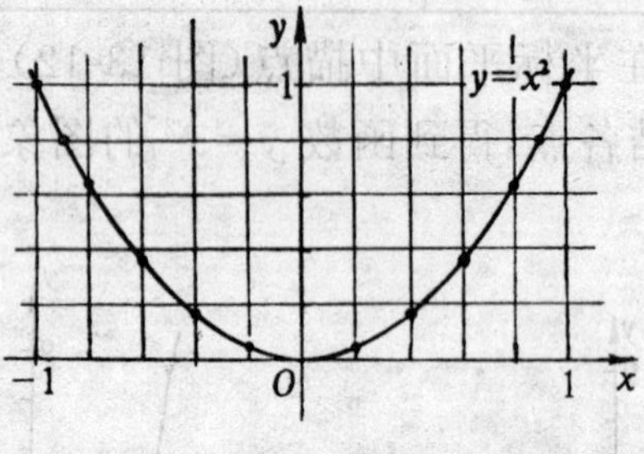

图 13-14

函数 $y=x^2$ 的图象是一条关于 y 轴对称的曲线，这条曲线叫**抛物线**. 实际上，二次函数的图象都是抛物线. 掷铅球或投篮球时，球在空中所经过的路线就是抛物线，只是看起来开口向下.

抛物线 $y=x^2$ 是开口向上的，y 轴是这条抛物线的**对称轴**，对称轴与抛物线的交点是抛物线的**顶点**. 从图上看，抛物线 $y=x^2$ 的顶点是图象的最低点.

例 1 画出函数 $y=\frac{1}{2}x^2$ 与 $y=2x^2$ 的图象.

解:列两个表:

x	-4	-3	-2	-1	0	1	2	3	4
$y=\frac{1}{2}x^2$	8	4.5	2	0.5	0	0.5	2	4.5	8

x	-2	-1.5	-1	-0.5	0	0.5	1	1.5	2
$y=2x^2$	8	4.5	2	0.5	0	0.5	2	4.5	8

分别描点画图.

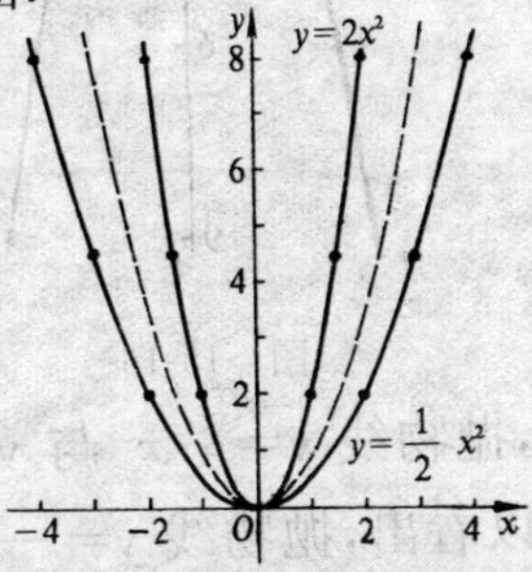

图 13-15

图 13-15 中的虚线图形是抛物线 $y=x^2$,可以观察一下三条抛物线的关系.

由例 1 可以看出,抛物线 $y=\frac{1}{2}x^2$ 与 $y=2x^2$ 都是开口向上的,对称轴都是 y 轴,顶点都是原点 O.

例 2 画出函数 $y=-x^2$ 的图象.

解:列表:

x	-3	-2	-1	0	1	2	3
y	-9	-4	-1	0	-1	-4	-9

描点画图:

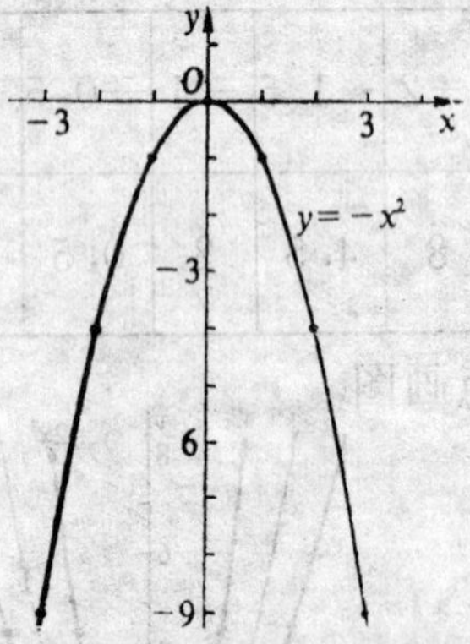

图 13-16

观察一下,抛物线 $y=-x^2$ 与 $y=x^2$ 的关系怎样?

由例 2 可以看出,抛物线 $y=-x^2$ 开口向下,对称轴是 y 轴,顶点是原点 O. 从图 13-16 看,顶点是抛物线 $y=-x^2$ 的最高点.

一般地,**抛物线 $y=ax^2$ 的对称轴是 y 轴,顶点是原点,当 $a>0$ 时,抛物线 $y=ax^2$ 的开口向上,当 $a<0$ 时,抛物线 $y=ax^2$ 的开口向下.**

练　习

1. 先填表，再在下面的直角坐标系内画出下列函数的图象：

$$y=3x^2, y=-3x^2, y=\frac{1}{3}x^2.$$

x	$-1\frac{1}{3}$	-1	$-\frac{2}{3}$	$-\frac{1}{3}$	0	$\frac{1}{3}$	$\frac{2}{3}$	1	$1\frac{1}{3}$
$y=3x^2$									
$y=-3x^2$									

x	-4	-3	-2	-1	0	1	2	3	4
$y=\frac{1}{3}x^2$									

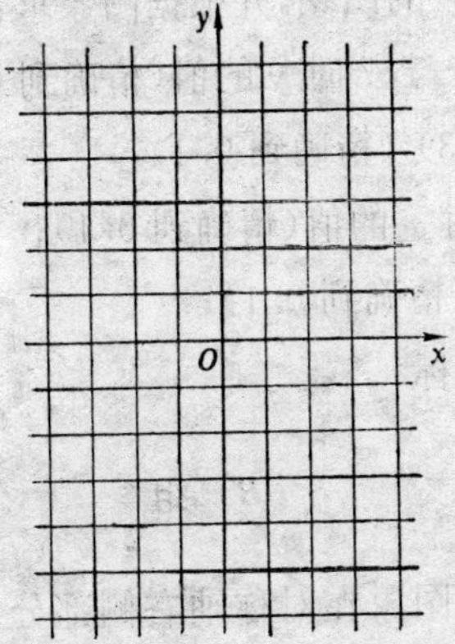

2. 分别说出抛物线 $y=4x^2$ 与 $y=-\frac{1}{4}x^2$ 的开口方向、对称轴与顶点坐标.

习 题 13.6

A 组

1. 下列函数中,哪些是一次函数?哪些是二次函数?

(1)$y=3(x-1)^2+1$;　　(2)$y=x+\frac{1}{x}$;

(3)$y=(x+3)^2-x^2$;　　(4)$y=\frac{1}{x^2}-x$.

2. (1)设圆柱的高 h(cm)是常量,写出圆柱的体积 V(cm^3)与底面周长 C(cm)之间的函数关系式;

(2)正方形边长是 3,若边长增加 x,则面积增加 y,求 y 与 x 之间的函数关系式.

3. 画出函数 $y=x^2$ 的图象,并根据图象求:

(1)$x=2, 2.4, -1.7$ 时 y 的值(精确到 0.1);

(2)$1.2^2, (-2.3)^2$(精确到 0.1);

(3)$y=2, 5.8$ 时 x 的值(精确到 0.1);

(4)$\sqrt{3}$, $\sqrt{8}$(精确到 0.1);

(5)最低点的坐标.

B 组

1. 函数 $y=5x^2$ 的图象在对称轴右侧部分,y 随着 x 的增大怎样变化?

2. 从图象上看,函数 $y=-5x^2$ 有最大值或最小值吗?如果有,是最大值还是最小值?这个值是多少?

13.7 二次函数 $y=ax^2+bx+c$ 的图象

1. 会用描点法画出二次函数的图象.
2. 能利用图象或通过配方确定抛物线的开口方向及对称轴、顶点的位置.

*3. 会由已知图象上三个点的坐标求出二次函数的解析式.

1. 二次函数 $y=ax^2+bx+c$ 的图象

例 1 画出函数 $y=x^2+1$ 与 $y=x^2-1$ 的图象.

解:

x	-3	-2	-1	0	1	2	3
$y=x^2+1$	10	5	2	1	2	5	10
$y=x^2-1$	8	3	0	-1	0	3	8

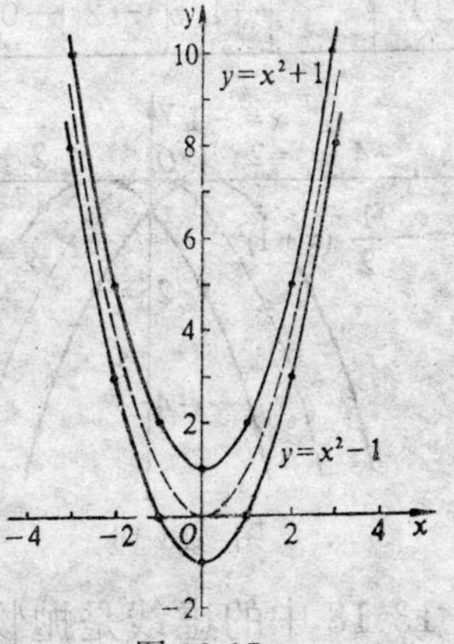

图 13-17

注意 上图虚线是抛物线 $y=x^2$.

由例 1 可知，抛物线 $y=x^2+1$，$y=x^2-1$ 与抛物线 $y=x^2$ 的形状相同，只是位置不同.

抛物线 $y=x^2+1$ 的开口向上，对称轴是 y 轴，顶点是(0,1).

抛物线 $y=x^2-1$ 的开口向上，对称轴是 y 轴，顶点是(0,−1).

例 2 画出函数 $y=-\frac{1}{2}(x+1)^2$ 与 $y=-\frac{1}{2}(x-1)^2$ 的图象.

解：

x	−3	−2	−1	0	1	2	3
$y=-\frac{1}{2}(x+1)^2$	−2	−0.5	0	−0.5	−2	−4.5	
$y=-\frac{1}{2}(x-1)^2$		−4.5	−2	−0.5	0	−0.5	−2

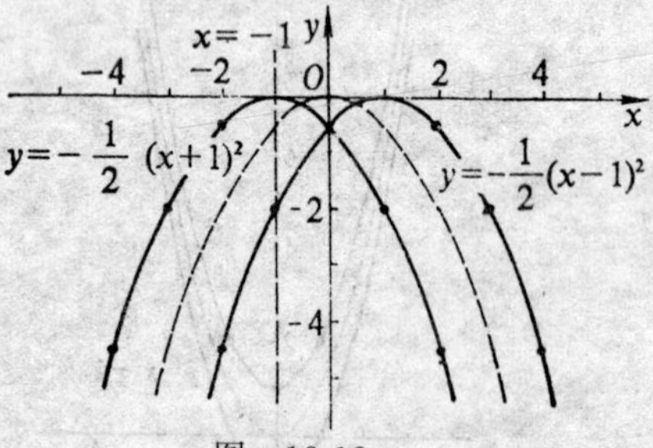

图 13-18

注意 图 13-18 中的虚线是抛物线 $y=-\frac{1}{2}x^2$.

由例 2 可知，三条抛物线 $y=-\frac{1}{2}(x+1)^2$，$y=-\frac{1}{2}(x-1)^2$，$y=-\frac{1}{2}x^2$ 的形状相同，只是位置不同.

抛物线 $y=-\frac{1}{2}(x+1)^2$ 的开口向下，对称轴是过点$(-1,0)$，且平行于 y 轴的直线，这条直线上的点是所有横坐标为-1 的点，我们记作直线 $x=-1$. 顶点是$(-1,0)$.

抛物线 $y=-\frac{1}{2}(x-1)^2$ 的开口向下，对称轴是直线 $x=1$，顶点是$(1,0)$.

练　习

1. 在同一直角坐标系内画出下列二次函数的图象：

$$y=\frac{1}{2}x^2,\quad y=\frac{1}{2}x^2+2,\quad y=\frac{1}{2}x^2-2.$$

观察三条抛物线的相互关系，并分别指出它们的开口方向及对称轴、顶点的位置. 你能说出抛物线 $y=\frac{1}{2}x^2+k$ 的开口方向及对称轴、顶点的位置吗？

2. 在同一直角坐标系内画出下列二次函数的图象：

$$y=\frac{1}{2}x^2,\quad y=\frac{1}{2}(x+2)^2,\quad y=\frac{1}{2}(x-2)^2.$$

观察三条抛物线的相互关系，并分别指出它们的开口方向及对称轴、顶点的位置. 你能说出抛物线 $y=\frac{1}{2}(x-h)^2$ 的开口方向及对称轴、顶点的位置吗？

例 3 在同一直角坐标系内，画出函数

$$y=-\frac{1}{2}x^2,$$

$$y=-\frac{1}{2}x^2-1,$$

$$y=-\frac{1}{2}(x+1)^2-1$$

的图象.

解：

x	-4	-3	-2	-1	0	1	2	3
$y=-\frac{1}{2}x^2$		-4.5	-2	-0.5	0	-0.5	-2	-4.5
$y=-\frac{1}{2}x^2-1$		-5.5	-3	-1.5	-1	-1.5	-3	-5.5
$y=-\frac{1}{2}(x+1)^2-1$	-5.5	-3	-1.5	-1	-1.5	-3	-5.5	

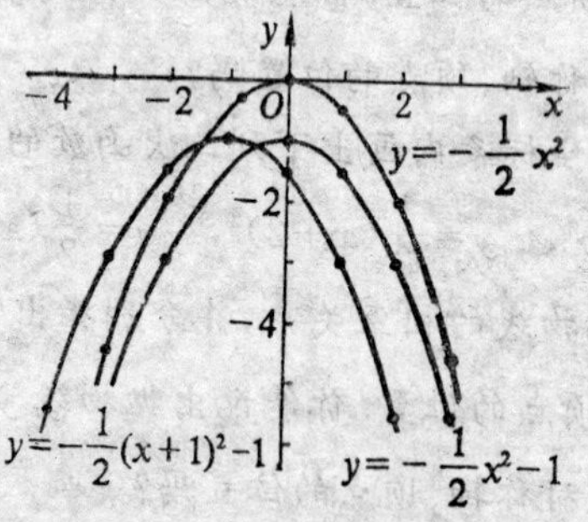

图 13-19

由例 3 可知：

抛物线 $y=-\frac{1}{2}x^2-1$，$y=-\frac{1}{2}(x+1)^2-1$ 与抛物线 $y=-\frac{1}{2}x^2$ 的形状相同，只是位置不同. 它们的开口方向都向下，对称轴与顶点坐标如下表：

抛 物 线	对 称 轴	顶点坐标
$y=-\frac{1}{2}x^2$	$x=0$	$(0,0)$
$y=-\frac{1}{2}x^2-1$	$x=0$	$(0,-1)$
$y=-\frac{1}{2}(x+1)^2-1$	$x=-1$	$(-1,-1)$

一般地，抛物线 $y=a(x-h)^2+k$ 与 $y=ax^2$ 形状相同，位置不同. 抛物线 $y=a(x-h)^2+k$ 有如下特点：

(1) $a>0$ 时，开口向上；$a<0$ 时，开口向下；

(2) 对称轴是直线 $x=h$；

(3) 顶点坐标是 (h,k).

练　习

说出下列抛物线的开口方向、对称轴及顶点坐标：

(1) $y=2(x+3)^2+5$；　(2) $y=-3(x-1)^2-2$；

(3) $y=4(x-3)^2+7$；　(4) $y=-5(x+2)^2-6$.

怎样画二次函数 $y=ax^2+bx+c$ 的图象呢？下面通过画函数 $y=\frac{1}{2}x^2-6x+21$ 的图象来说明.

首先，用配方将函数写成 $y=a(x-h)^2+k$ 的形式：

$$y=\frac{1}{2}x^2-6x+21=\frac{1}{2}(x^2-12x+42)$$
$$=\frac{1}{2}(x^2-2\times6x+36-36+42)$$
$$=\frac{1}{2}(x-6)^2+3.$$

其次，确定图象开口方向与对称轴、顶点位置.

图象开口向上，对称轴是 $x=6$，顶点坐标是(6，3). 这样，抛物线的大体位置就清楚了.

接下来，利用函数对称性列表.

x	3	4	5	6	7	8	9
$y=\frac{1}{2}(x-6)^2+3$	7.5	5	3.5	3	3.5	5	7.5

最后，描点画图. 就得到 $y=\frac{1}{2}x^2-6x+21$ 的图象（图13-20）.

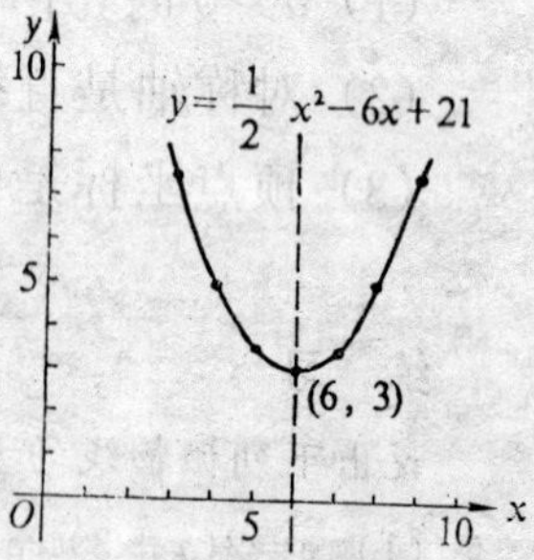

图 13-20

这个图象实际上就是将抛物线 $y=\frac{1}{2}x^2$ 平行移动，顶点从原点移到(6，3)而成的.

例 4 通过配方求抛物线 $y=ax^2+bx+c$ 的对称轴和顶点坐标.

解：

$$\begin{aligned} y=ax^2+bx+c&=a\left(x^2+\frac{b}{a}x+\frac{c}{a}\right) \\ &=a\left[x^2+2\cdot\frac{b}{2a}x+\left(\frac{b}{2a}\right)^2-\left(\frac{b}{2a}\right)^2+\frac{c}{a}\right] \\ &=a\left(x+\frac{b}{2a}\right)^2+\frac{4ac-b^2}{4a}, \end{aligned}$$

因此，抛物线 $y=ax^2+bx+c$ 的对称轴是 $x=-\frac{b}{2a}$，顶点坐标是 $\left(-\frac{b}{2a},\frac{4ac-b^2}{4a}\right)$.

练　习

1. 填表：

抛物线	开口方向	对称轴	顶点坐标
$y=ax^2+k(a>0)$			
$y=a(x-h)^2(a<0)$			
$y=a(x-h)^2+k(a>0)$			

2. 通过配方，写出下列抛物线的开口方向、对称轴和顶点坐标：

（1）$y=3x^2+2x$；（2）$y=-x^2-2x$；

（3）$y=-2x^2+8x-8$；（4）$y=\frac{1}{2}x^2-4x+3$.

*2. 用待定系数法求二次函数的解析式

已知一个二次函数图象上三个点的坐标，可以用待定系数法求出这个函数的解析式.

例 5 已知一个二次函数的图象经过(−1,10)，(1,4)，(2,7)三点. 求这个函数的解析式.

分析：二次函数的一般形式是 $y=ax^2+bx+c$，问题是确定 a,b,c. 由已知三个条件，可列出三个方程，进而求出三个待定系数.

解：设所求二次函数为 $y=ax^2+bx+c$.

由已知，函数图象过(−1,10)，(1,4)，(2,7)三点，得

$$\begin{cases} a-b+c=10, \\ a+b+c=4, \\ 4a+2b+c=7. \end{cases}$$

解这个方程组，得

$$a=2,\quad b=-3,\quad c=5.$$

因此，所求二次函数是 $y=2x^2-3x+5$.

练　习

1. 一个二次函数，当自变量 $x=0$ 时，函数值 $y=-1$，当 $x=-2$ 与 $\frac{1}{2}$ 时，$y=0$. 求这个二次函数的解析式.
2. 一个二次函数的图象经过(0,0)，(−1,−11)，(1,9)三点. 求这个二次函数的解析式.

习 题 13.7

A 组

1. 分别在同一直角坐标系内，描点画出下列各组二次函数的图象，并根据图象写出对称轴与顶点坐标：

(1) $y=\frac{1}{3}x^2+3$ 与 $y=\frac{1}{3}x^2-2$；

(2) $y=-\frac{1}{4}(x+2)^2$ 与 $y=-\frac{1}{4}(x-1)^2$；

(3) $y=\frac{1}{2}(x+2)^2-1$ 与 $y=\frac{1}{2}(x-1)^2+2$.

2. 通过配方，写出下列抛物线的开口方向、对称轴和顶点坐标：

(1) $y=x^2-2x-3$； (2) $y=1+6x-x^2$；

(3) $y=2x^2-3x+4$； (4) $y=-2x^2-5x+7$；

(5) $y=\frac{1}{2}x^2-2x+1$； (6) $y=-\frac{1}{4}x^2+x-4$；

(7) $y=-x^2+nx$； (8) $y=x^2+px+q$.

3. 先确定下列抛物线的开口方向、对称轴和顶点坐标，再描点画图：

(1) $y=-3(x-2)^2+9$； (2) $y=4(x-3)^2-10$；

(3) $y=-2x^2+8x-6$； (4) $y=\frac{1}{2}x^2-2x-1$.

4. 下列抛物线有最高点或最低点吗？如果有，写出这些点的坐标：

(1) $y=-4x^2+3x$；　　(2) $y=3x^2+x+6$.

*5. 根据二次函数的图象上三个点的坐标，写出函数的解析式：

(1) $(-1,3),(1,3),(2,6)$；

(2) $(-1,-1),(0,-2),(1,1)$；

(3) $(-1,0),(3,0),(1,-5)$；

(4) $(1,2),(3,0),(-2,20)$.

*6. 抛物线 $y=ax^2+bx+c$ 经过 $(-1,-22),(0,-8),(2,8)$ 三点，求它的开口方向、对称轴和顶点坐标.

7. 已知函数 $y=3x^2-4x+1$.

(1) 画出函数的图象；

(2) 观察图象，说出 x 取哪些值时，函数值为 0.

B 组

1. 填空：

(1) 抛物线 $y=4x^2-11x-3$ 与 y 轴的交点坐标是______，与 x 轴的交点坐标是______；

(2) 抛物线 $y=-6x^2-x+2$ 与 y 轴的交点坐标是______，与 x 轴的交点坐标是______.

2. 画出函数 $y=x^2-2x-3$ 的图象，利用图象回答：

(1) 方程 $x^2-2x-3=0$ 的解是什么；

(2) x 取什么值时，函数值大于 0；

(3) x 取什么值时，函数值小于 0.

3. 如图，一男生推铅球，铅球行进高度 y(m)与水平距离 x(m)之间的关系是

$$y=-\frac{1}{12}x^2+\frac{2}{3}x+\frac{5}{3}.$$

(1) 画出函数的图象；

(2) 观察图象，说出铅球推出的距离.

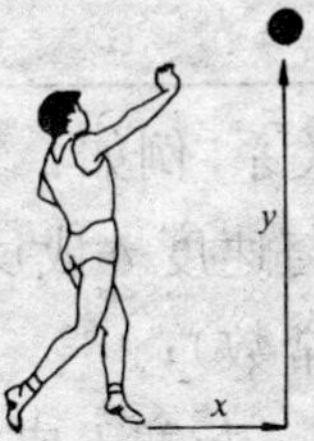

(第 3 题)

(第 4 题)

4. 如图，一边靠校园院墙，另外三边用 50m 长的篱笆，围起一个长方形场地，设垂直院墙的边长为 xm.

(1) 写出长方形场地面积 y(m^2)与 x 的函数关系式；

(2) 画出函数的图象；

(3) 观察图象，说出边长多少时，长方形面积最大.

想一想

已知函数

$$y=x^2+1,$$

$$y=-2x^2+x.$$

(1) 哪个函数有最大值，哪个函数有最小值？

(2) 当 x 取什么值时，函数取最大值或最小值？

想一想，二次函数的最大值或最小值与二次函数图象的顶点有什么关系？

13.8 反比例函数及其图象

> 1. 会画出反比例函数的图象，并能说出它的性质.
> 2. 会用待定系数法确定反比例函数的解析式.

我们在小学学过反比例关系. 例如：

当路程 s 一定时，时间 t 与速度 v 成反比例，即

$$vt=s(s\text{ 是常数})；$$

当矩形面积 S 一定时，长 a 与宽 b 成反比例，即

$$ab=S(S\text{ 是常数}).$$

从函数观点看呢？上面的例子中的两个变量可以分别看成自变量与函数，写成

$$t=\frac{s}{v}(s\text{ 是常数})，$$

$$a=\frac{S}{b}(S\text{ 是常数}).$$

一般地，函数 $y=\frac{k}{x}$(k 是常数，$k\neq0$)叫做**反比例函数**.

在上面的两个例子中，当路程 s 是常数时，时间 t 就是速度 v 的反比例函数；当矩形面积 S 是常数时，长 a 就是宽 b 的反比例函数.

下面，我们研究反比例函数的图象.

例 1　画出反比例函数 $y=\frac{6}{x}$ 与 $y=-\frac{6}{x}$ 的图象.

解：列表：

x	-6	-5	-4	-3	-2	-1	1	2	3	4	5	6
$y=\frac{6}{x}$	-1	-1.2	-1.5	-2	-3	-6	6	3	2	1.5	1.2	1
$y=-\frac{6}{x}$	1	1.2	1.5	2	3	6	-6	-3	-2	-1.5	-1.2	-1

分别描点画图.

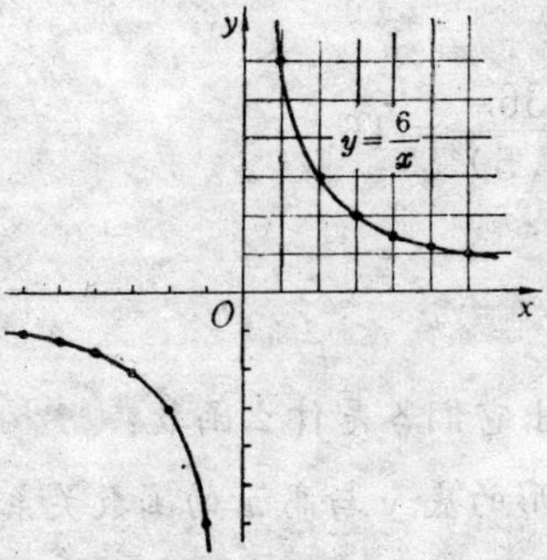

图 13-21

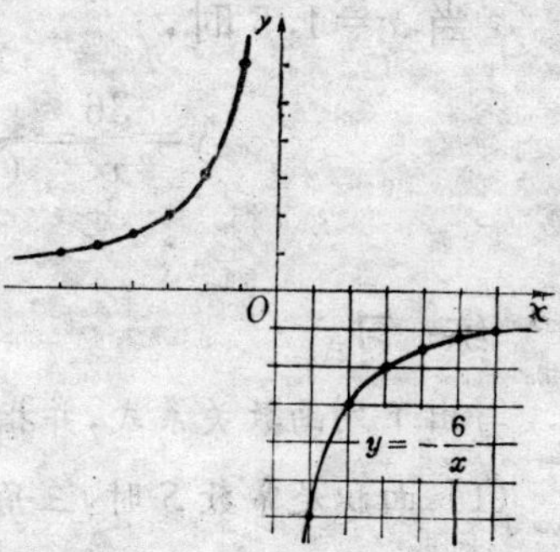

图　13-22

一般地，反比例函数 $y=\frac{k}{x}$ $(k\neq 0)$ 的图象由两条曲线组成，叫做**双曲线**.

结合例 1 想一想，当 $k>0$ 时，双曲线两分支各在哪个象限？在每个象限内，y 随 x 的增大怎样变化？当 $k<0$ 时呢？

例 2 已知 y 与 x^2 成反比例，并且当 $x=3$ 时，$y=4$. 求 $x=1.5$ 时 y 的值.

分析：因为 y 与 x^2 成反比例，所以设 $y=\frac{k}{x^2}$，再用待定系数法就可以求出 k，进而再求 y 的值.

解：设 $y=\frac{k}{x^2}$. 因为当 $x=3$ 时，

$$y=4,$$

$$\therefore \quad 4=\frac{k}{9}.$$

$$\therefore \quad k=36.$$

当 $x=1.5$ 时，

$$y=\frac{36}{x^2}=\frac{36}{(1.5)^2}=16.$$

练　习

1. 写出下列函数关系式，并指出它们各是什么函数：

(1) 面积是常数 S 时，三角形的底 y 与高 x 的函数关系；

(2) 功是常数 W 时，力 F 与物体在力的方向上通过的距离 s 的函数关系.

2. 画出反比例函数 $y=\frac{5}{x}$ 与 $y=-\frac{5}{x}$ 的图象.

3. 已知变量 y 与 x 成反比例，并且当 $x=3$ 时，$y=7$. 求：

(1) y 和 x 之间的函数关系式；

(2) 当 $x=2\frac{1}{3}$ 时 y 的值；(3) 当 $y=3$ 时 x 的值.

习 题 13.8

A 组

1. 用解析式表示下列函数：

(1) 当三角形的面积是 12cm^2 时，它的底边 a(cm)是这个底边上的高 h(cm)的函数；

(2) 当圆锥的体积是 50cm^3 时，它的高 h(cm)是底面面积 S(cm^2)的函数.

2. (1) 画出函数 $y=\frac{2}{x}$ 与 $y=-\frac{2}{x}$ 的图象.

(2) 填空：对于 $y=\frac{2}{x}$，当 $x>0$ 时，y ______ 0，这部分图象在第______象限；对于 $y=-\frac{2}{x}$，当 $x<0$ 时，y ______ 0，这部分图象在第______象限.

3. 填空：

(1) 函数 $y=\frac{10}{x}$ 的图象在第______象限内，在每一个象限内，y 随 x 的增大而______；

(2) 函数 $y=-\frac{10}{x}$ 的图象在第______象限内，在每一个象限内，y 随 x 的增大而______.

4. 一定质量的二氧化碳，当它的体积 $V=5\text{m}^3$ 时，它的密度 $\rho=1.98\text{kg/m}^3$.

(1) 求 ρ 与 V 的函数关系式；

(2) 求当 $V=9\text{m}^3$ 时二氧化碳的密度 ρ.

5. 一个圆台形物体的上底面积是下底面积的$\frac{1}{4}$，如果如图放在桌上，对桌面的压强是200帕，翻过来放，对桌面的压强是多少？

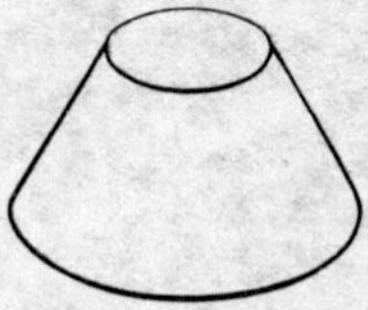

（第5题）

6. 已知a与b^2成反比例，且当$b=4$时$a=5$，求$b=\frac{4}{5}$时a的值.

B 组

1. 分别根据下面图中反比例函数图象上的点的坐标，写出函数的解析式：

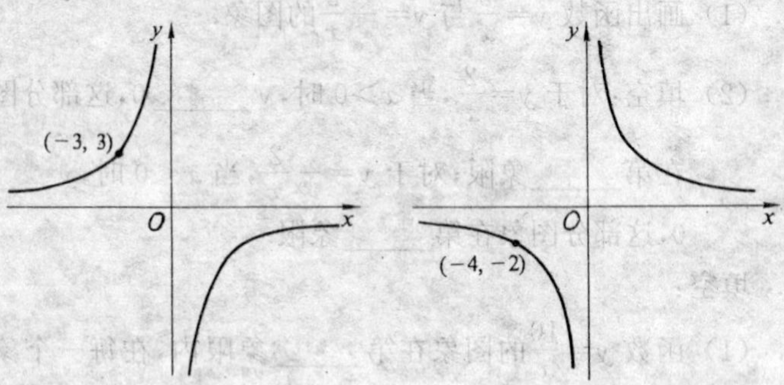

（1）　　（2）

（第1题）

2. 已知$y=y_1+y_2$，y_1与x成正比例，y_2与x^2成反比例，且$x=2$与$x=3$时，y的值都等于19. 求y与x间的函数关系式.

3. 已知$y=y_1+y_2$，y_1与x成正比例，y_2与x成反比例，并且$x=1$时$y=4$，$x=2$时$y=5$. 求$x=4$时y的值.

小结与复习

一、内容提要

1. 本章首先讲述直角坐标系的初步知识，然后给出函数、函数的图象的意义，接着顺次介绍一次函数（包括正比例函数）、二次函数、反比例函数，以及它们的图象.

2. 数轴上的点与实数是一一对应的，在平面内确定直角坐标系之后，平面内的点与有序实数对就建立了一一对应的关系.

3. 设在一个变化过程中有两个变量 x 与 y，如果对于 x 的每一个值，y 都有唯一的值与它对应，那么就说 x 是自变量，y 是 x 的函数. 自变量 x 与函数 y 的每一对对应值都对应坐标平面内的一个点，所有这些点就构成了函数的图象. 函数可以用解析式表示，也可以列表表示，还可以用图象表示.

4. $y=kx+b$（k，b 是常数，$k\neq0$）是一次函数，当 $b=0$ 时，$y=kx$ 是正比例函数. 一次函数 $y=kx+b$ 的图象是经过点 $(0,b)$ 的一条直线，并且，

(1) 当 $k>0$ 时 y 随 x 的增大而增大；

(2) 当 $k<0$ 时，y 随 x 的增大而减小.

5. $y=ax^2+bx+c$(a,b,c 是常数,$a\neq 0$)是二次函数,图象是抛物线.利用配方,可以把二次函数表示成 $y=a(x-h)^2+k$ 的形式,由此可以确定这条抛物线的对称轴是直线 $x=h$,顶点是(h,k),进而可以描点画出抛物线.

6. $y=\frac{k}{x}$($k\neq 0$)是反比例函数,图象是双曲线.

(1)当 $k>0$ 时,图象的两个分支分别在第一、三象限内,在每个象限内,y 随 x 的增大而减小;

(2)当 $k<0$ 时,图象的两个分支分别在第二、四象限内,在每个象限内,y 随 x 的增大而增大.

二、学习要求

1. 能说出点在平面内的坐标的意义.

2. 能结合实例说出函数的意义.

3. 能写出实际问题中的一次函数的解析式,会画出一次函数的图象,说出它的性质.

4. 会确定抛物线的开口方向、对称轴和顶点坐标,能用描点法画出抛物线.

*会用待定系数法由已知图象上三个点的坐标求二次函数的解析式.

5. 能写出实际问题中的反比例函数的解析式,能用描点法画出双曲线,并能结合图象说出反比例函数的性质.

三、需要注意的几个问题

1. 函数的表示方法有三种. 本章学习的函数主要是用解析式表示的,解析式比较简明,并且可以根据解析式列表、画图象,进而研究函数的性质. 实际上还有一些函数难以用解析式表示,例如本章开始提到的一天的温度随时间变化的函数关系,通常是根据测量结果列表或画图象来表示. 列表可以把自变量与函数的数量关系明显地表示出来,例如用平方根表表示函数 $y=\sqrt{x}\,(x\geqslant 0)$,便于直接查阅,但是,列表难于反映函数关系的全貌,只能列出部分对应数值. 图象可以直接、形象地把函数关系表示出来,函数的某些性质可以一目了然地从图象上看出,例如函数随自变量增大而增大(或减小)的性质,但是由图象只能观察出近似的数量关系.

2. 函数的自变量取值范围,一方面取决于解析式本身的限制,如对于反比例函数 $y=\frac{k}{x}(k\neq 0)$,就要求 $x\neq 0$;另一方面,要考虑实际问题的具体要求,例如,周长是 60m 的矩形,它的面积 $S(\mathrm{m}^2)$ 与一边长 $l(\mathrm{m})$ 的关系是 $S=l(30-l)$,自变量 l 应该满足 $0<l<30$ 的条件.

3. 通过学习函数及其图象的知识,可以进一步体会数形结合的思想在研究、解决问题时的作用.

复 习 题 十 三

A 组

1. 填空：

(1) 点 $P(a,b)$ 关于 x 轴对称的点 P_1 的坐标是______，关于原点对称的点 P_2 的坐标是______；

(2) 如果点 $M(1-x,1-y)$ 在第二象限，那么点 $N(1-x,y-1)$ 在第______象限，点 $Q(x-1,1-y)$ 在第______象限.

2. 求下列函数中自变量 x 的取值范围：

(1) $y=4x^2+3x-5$；　　(2) $y=(1-x)(1-2x)$；

(3) $y=\dfrac{1+2x}{1+x-6x^2}$；　　(4) $y=\dfrac{x^2}{4x^2-4x+2}$；

(5) $y=\sqrt{5+3x}$；　　(6) $y=\sqrt{x-3}+\sqrt{5-x}$；

(7) $y=\dfrac{1}{\sqrt{2x-1}}$；　　(8) $y=\dfrac{\sqrt{x+1}}{\sqrt{x+3}}$.

3. 判断下列各点是否在直线 $y=2x+6$ 上：

$$(-5,-4),(-7,20),\left(-\frac{7}{2},1\right),\left(\frac{2}{3},7\frac{1}{3}\right).$$

4. 填空：

(1) 对于函数 $y=3x-2$，y 随 x 的______而减小；

(2) 对于函数 $y=6-2x$，y 随 x 的增大而______.

5. 根据下列条件，分别确定函数 $y=kx+b$ 的解析式：

(1) y 与 x 成正比例，当 $x=5$ 时，$y=7$；

(2) 直线 $y=kx+b$ 经过点 $(3,6)$，$\left(\dfrac{1}{2},-\dfrac{1}{2}\right)$.

6. 结合函数 $y=3x-15$ 的图象，确定当 x 取什么值时：

(1) $y=0$； (2) $y>0$； (3) $y<0$.

7. 选择题：在抛物线 $y=x^2-4x-4$ 上的一个点是(　)

(A) $(4,4)$. (B) $(3,-1)$.

(C) $(-2,-8)$. (D) $\left(-\frac{1}{2},-\frac{7}{4}\right)$.

***8.** 根据下列条件，分别确定二次函数的解析式：

(1) 抛物线 $y=ax^2+bx+c$ 过点 $(-3,2)$，$(-1,-1)$，$(1,3)$；

(2) 抛物线 $y=ax^2+bx+c$ 与 x 轴的两交点的横坐标是 $-\frac{1}{2}$，$\frac{3}{2}$，与 y 轴交点的纵坐标是 -5.

9. 通过配方确定下列抛物线的开口方向、对称轴和顶点坐标：

(1) $y=x^2-8x-20$； (2) $y=-2x^2+3x+5$；

(3) $y=x^2+\frac{1}{2}x+\frac{1}{8}$； (4) $y=\frac{2}{3}x^2+x+\frac{1}{3}$.

10. 结合函数 $y=(x-2)^2-1$ 的图象，确定当 x 取什么值时：

(1) $y=0$； (2) $y>0$； (3) $y<0$.

11. 判断下列各点是否在双曲线 $y=\frac{-2}{x}$ 上：

$$\left(-\frac{4}{3},-\frac{3}{2}\right),\left(-\frac{4}{3},\frac{3}{2}\right),\left(\frac{3}{4},-\frac{8}{3}\right),\left(\frac{3}{4},\frac{8}{3}\right).$$

12. 填空：

(1) 直线 $y=\frac{1}{2}-\frac{2}{3}x$ 经过第______象限；

(2) 双曲线 $y=\frac{7}{x}$ 在第______象限.

13. 填空：

(1) 对于函数 $y=\frac{1}{2x}$，当 $x<0$ 时，y 随 x 的______而增大；

(2) 对于函数 $y=-\frac{5}{3x}$，当 $x>0$ 时，y 随 x 的增大而______.

14. 根据下列条件，分别确定函数 $y=\frac{k}{x}$ 的解析式：

(1) 当 $x=2$ 时，$y=-3$；

(2) 点 $\left(-\frac{1}{2},-\frac{1}{3}\right)$ 在双曲线 $y=\frac{k}{x}$ 上.

15. 分别写出下列函数关系式：

(1) y 与 x^2 成正比例，当 $x=3$ 时，$y=12$；

(2) y 与 $x-1$ 成反比例，当 $x=\frac{1}{2}$ 时，$y=-\frac{1}{3}$.

B 组

1. 求直线 $y=3x+1$ 与 $y=1-5x$ 的交点坐标.

2. 填空：

(1) 函数 $y=(2x+1)^2+1$ 当 $x>$______时随 x 的增大而增大；

(2) 函数 $y=-2x^2+x-4$ 当 $x>$______时随 x 的增大而减小.

3. (1) 如果已知抛物线 $y=ax^2+bx+c(a\neq0)$ 的对称轴是 $x=-\frac{b}{2a}$，那么它的顶点的横坐标是什么？怎样求顶点的纵坐标？

(2) 利用上面的方法检验 *A* 组第 9 题的结果.

4. 结合图象回答下列问题：

（1）函数 $y=(1-3x)^2+4$ 的最小值是多少？

（2）函数 $y=-3x^2+6x+9$ 的最大值是多少？

5. 求直线 $y=x$ 与抛物线 $y=(x+1)^2-5$ 的交点坐标.

6. 已知一个矩形的周长是 24cm.

（1）写出矩形面积 S 与一边长 a 的函数关系式.

（2）画出这个函数的图象.

（3）当 a 长多少时，S 最大？

7. 一条抛物线 $y=ax^2+bx+c$ 经过点(0,0)与(12,0)，最高点的纵坐标是 3，求这条抛物线的解析式.

8. 填空：

（1）如果直线 $y=kx+b$ 过第一、二、三象限，那么，k ______ 0，b ______ 0；

（2）如果点 $(a,-2a)$ 在双曲线 $y=\dfrac{k}{x}$ 上，那么 k ______ 0.

自我测验十三

（满分 100 分，时间 45 分）

1. （每空 5 分，共 30 分）填空：

(1) 函数 $y=\frac{1}{\sqrt{2-4x}}$ 的自变量 x 的取值范围是______；

(2) 直线 $y=12-3x$ 与 x 轴交点的横坐标是______，与 y 轴交点的纵坐标是______；

(3) 双曲线 $y=-\frac{1}{3x}$ 经过点（-3，______）；

(4) 对于二次函数 $y=3x^2-1$，当 $y=1$ 时，x 的值是______；

(5) 点（-2，3）______抛物线 $y=2x^2+x+3$ 上.

2. （每小题 5 分，共 10 分）选择题：

(1) 在直线 $y=2x-5$ 上的一个点是（　）

(A) $(-2,1)$.　　(B) $(2,-1)$.

(C) $(-1,2)$.　　(D) $(1,-2)$.

(2) 抛物线 $y=-\frac{1}{2}x^2-x+\frac{5}{2}$ 的顶点坐标是（　）

(A) $(1,3)$.

(B) $(1,-3)$.

(C) $(-1,3)$.

(D) $(-1,-3)$.

3. (每小题 8 分，共 16 分)

(1) y 与 $2x+1$ 成正比例，当 $x=\frac{2}{3}$ 时，$y=\frac{1}{9}$，求 y 与 x 的关系式；

(2) y 与 x^2 成反比例，当 $x=-\frac{1}{2}$ 时，$y=10$，求 y 与 x 的关系式.

4. (每小题 12 分，共 24 分)先配方，再确定抛物线的开口方向、对称轴与顶点：

(1) $y=-x^2+\frac{3}{2}x+\frac{9}{16}$；

(2) $y=\frac{1}{6}x^2-\frac{1}{6}x-5$.

5. (10 分)二中的校办工厂现在年产值是 15 万元，如果每增加 100 元投资，一年可增加 250 元产值，那么总产值 y(万元)与新增加的投资额 x(万元)之间的函数关系是什么？如果增加 1.5 万元投资，年产值可达到多少？

6. (10 分)面积一定的梯形，其上底长是下底长的$\frac{1}{3}$，设下底长 $x=15\text{cm}$ 时，高 $y=6\text{cm}$.

(1) 求 y 与 x 的函数关系式；

(2) 求当 $y=4\text{cm}$ 时，上底长多少.

附加题(10 分，成绩不计入总分)

已知抛物线的对称轴是 y 轴，并且经过点$(-3,2)$，$(2,3)$，求这个二次函数的解析式.

第十四章　统计初步

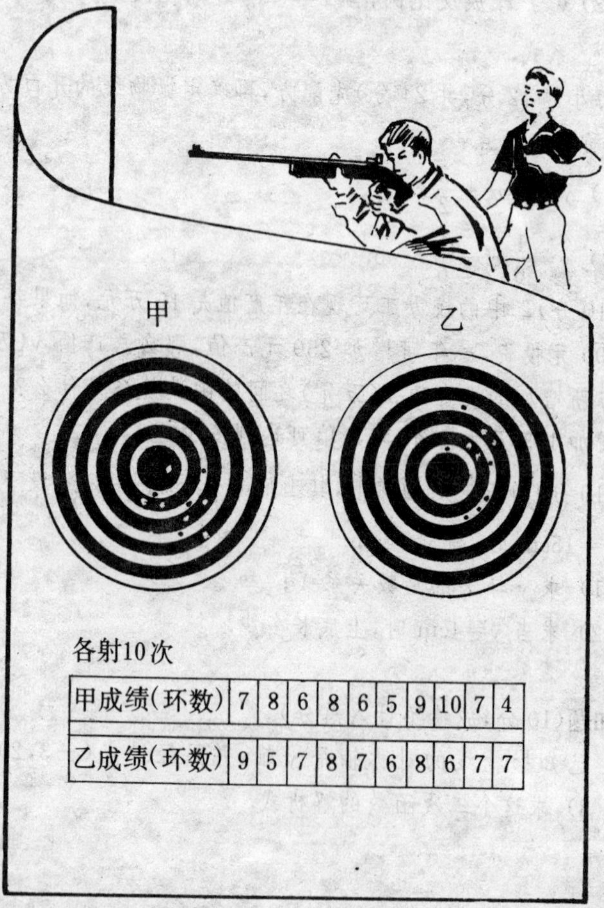

各射10次

甲成绩(环数)	7	8	6	8	6	5	9	10	7	4
乙成绩(环数)	9	5	7	8	7	6	8	6	7	7

为了从甲、乙两名学生中选拔一人参加射击比赛，对他们的射击水平进行了测验.两人在相同条件下各射靶 10 次，命中的环数如下：

甲	7	8	6	8	6	5	9	10	7	4
乙	9	5	7	8	7	6	8	6	7	7

现在要问：怎样比较两人的成绩？

像上面这种涉及处理数据的问题，在现实生活中到处可见.为了解决这类问题，要用到统计学的知识.统计学是一门与数据打交道的学问，研究如何搜集、整理、计算和分析数据，然后从中找出一些规律.

在这一章里，我们介绍统计学的一些初步知识.

14.1 平均数

> 1. 了解总体、个体、样本、样本的容量的意义.
> 2. 了解平均数的意义，会计算一组数据的平均数.
> 3. 会用样本平均数去估计总体平均数.

某班第一小组一次数学测验的成绩如下：

86　91　100　72　93　89　90　85　75　95

这个小组的平均成绩是多少？

很明显，这个平均成绩是

$$\frac{86+91+\cdots+95}{10}=87.6.$$

一般地，如果有 n 个数

$$x_1,\quad x_2,\cdots,\quad x_n,$$

那么

$$\bar{x}=\frac{1}{n}(x_1+x_2+\cdots+x_n) \qquad ①$$

叫做这 n 个数的**平均数**，$\bar{x}$ 读作“x 拔”.

例 1　一个地区某年 1 月上旬各天的最低气温依次是(单位：℃)：

$-6,-5,-7,-7,-6,-4,-5,-7,-8,-7.$

求它们的平均气温.

解：$$\begin{aligned}\bar{x}&=\frac{1}{10}(-6-5-\cdots-7)\\&=-\frac{62}{10}\\&\approx-6(℃),\end{aligned}$$❶

即 1 月上旬的平均最低气温约是 $-6℃$.

例 2 从一批机器零件毛坯中取出 20 件，称得它们的质量如下(单位：千克)：

210 208 200 205 202 218 206 214 215 207

195 207 218 192 202 216 185 227 187 215

计算它们的平均质量.

解：$$\begin{aligned}\bar{x}&=\frac{1}{20}(210+208+\cdots+215)\\&=\frac{4129}{20}\approx206(\text{千克}),\end{aligned}$$

即这 20 件机器零件毛坯的平均质量约为 206 千克.

本例中的数据较大，计算起来较繁. 那么，有没有较为简便的算法呢？

容易发现，上述数据有一个特点：它们都在 200 左右波动，于是可将上面各数据同时减去 200，转而计算一组数值较小的新数据的平均数.

---

❶ 在本章中，如无特别说明，平均数计算结果保留的位数与原数据相同.

将上面各数据同时减去 200，得到的一组新数据是：

10	8	0	5	2	18	6	14	15	7
−5	7	18	−8	2	16	−15	27	−13	15

计算这组新数据的平均数，得

$$\overline{x'} = \frac{1}{20}(10 + 8 + \cdots + 15)$$

$$= \frac{129}{20} \approx 6,$$

于是，所求的平均数应该是

$$\overline{x} = \overline{x'} + 200$$

$$\approx 6 + 200$$

$$= 206(\text{千克}).$$

所得结果与前面的结果一样.

一般地，当一组数据 $x_1, x_2, \cdots, x_n$ 的各个数值较大时，可将各数据同时减去一个适当的常数 a[1]，得到

$$x'_1 = x_1 - a,\ x'_2 = x_2 - a,\ \cdots,\ x'_n = x_n - a,$$

那么

$$x_1 = x'_1 + a,\ x_2 = x'_2 + a,\ \cdots,\ x_n = x'_n + a.$$

---

[1] 常数 a 通常取接近于这组数据的平均数（约略估计）的较"整"的数.

因此，

$$
\begin{aligned}
\overline{x} &= \frac{1}{n}(x_1 + x_2 + \cdots + x_n) \\
&= \frac{1}{n}[(x'_1 + a) + (x'_2 + a) + \cdots + (x'_n + a)] \\
&= \frac{1}{n}[(x'_1 + x'_2 + \cdots + x'_n) + na] \\
&= \frac{1}{n}(x'_1 + x'_2 + \cdots + x'_n) + \frac{1}{n} \cdot na \\
&= \overline{x'} + a,
\end{aligned}
$$

即

$$\boxed{\overline{x} = \overline{x}' + a.} \qquad ②$$

在例 2 的第二种算法中，正是利用了公式 ②.

例 3 某工人在 30 天中加工一种零件的日产量，有 2 天是 51 件，3 天是 52 件，6 天是 53 件，8 天是 54 件，7 天是 55 件，3 天是 56 件，1 天是 57 件. 计算这个工人 30 天中的平均日产量.

解：在上面 30 个数据中，51 出现 2 次，52 出现 3 次，53 出现 6 次，54 出现 8 次，55 出现 7 次，56 出现 3 次，57 出现 1 次. 由于这组数据都比 50 稍大一点，我们利用公式 ② 计算它们的平均数，并将公式中的常数 a 取作 50.

将数据51,52,53,54,55,56,57同时减去50,得到

1　2　3　4　5　6　7

它们出现的次数依次是

2　3　6　8　7　3　1

那么,这组新数据的平均数是

$$\overline{x'} = \frac{1\times 2 + 2\times 3 + \cdots + 7\times 1}{30}$$

$$= \frac{118}{30} \approx 4.$$

根据公式②,

$$\begin{aligned}\overline{x} &= \overline{x'} + a \\ &\approx 4 + 50 \\ &= 54(\text{件}),\end{aligned}$$

即这个工人30天中的平均日产量为54件.

一般来说,如果在 n 个数中,x_1 出现 f_1 次,x_2 出现 f_2 次,…,x_k 出现 f_k 次(这里 $f_1+f_2+\cdots+f_k=n$),那么根据公式①,这 n 个数的平均数可以表示为

$$\boldsymbol{\overline{x} = \frac{x_1f_1 + x_2f_2 + \cdots + x_kf_k}{n}}.\text{❶} \qquad ①'$$

正如例3那样,当一组数据中有不少数据多次重复出现时,利用公式①′计算它们的平均数比较简便.

---

❶ 这个平均数叫做**加权平均数**,其中 $f_1, f_2, \cdots, f_k$ 叫做**权**.

练　习

1. 填空：

(1) 数据 15,23,17,18,22 的平均数是______；

(2) 5 个数据的和为 405,其中一个数据为 85,那么另 4 个数据的平均数是______.

2. 利用公式 ② 求下面各组数据的平均数：

(1)105 103 101 100 114 108 110 106 98 102

(2)4203 4204 4200 4194 4204 4201 4195 4199

3. 试验测得10 架某种飞机的最大飞行速度分别是(单位：米/秒)：

422　423　412　431　418

417　425　428　413　441

求这些飞机的平均最大飞行速度.

4. 在一个班的 40 名学生中,14 岁的有 5 人,15 岁的有 30 人,16 岁的有 4 人,17 岁的有 1 人.求这名班学生的平均年龄.

在一次考试中,考生有 2 万多名.如果为了得到这些考生的数学平均成绩,而将他们的成绩全部相加再除以考生总数,那将是十分麻烦的.那么,怎样才能了解到这些考生的数学平均成绩呢?

通常,在考生很多的情况下,我们是从中抽取部分考生(比如说,500 名)的成绩,用他们的平均成绩去估计所有考生的平均成绩.

在统计里，我们把所要考察对象的全体叫做**总体**，其中的每一个考察对象叫做**个体**，从总体中所抽取的一部分个体叫做总体的一个**样本**，样本中个体的数目叫做**样本的容量**.

在上面的例子中，所有考生成绩的全体是总体，其中每名考生的成绩是个体，所抽取的 500 名考生的成绩是总体的一个样本，样本的容量是 500.

又如，要了解某个地区的初三女生的体重，以掌握她们的身体发育情况. 由于这个地区的初三学生很多，我们也是从中抽测部分女生(比如说，200 名)的体重，用这部分女生的体重去估计这个地区所有女生的体重.

在这个例子中，所指地区初三女生体重的全体是总体，每个女生的体重是个体，从中抽取的 200 名女生的体重是总体的一个样本，样本的容量是 200.

在现实生活中，我们所要考察的总体中包含的个体数往往很多. 有时虽然总体中包含的个体数不是很多，但考察时带有破坏性，例如，要想知道炮弹的杀伤半径，就得发射炮弹. 因此，我们通常是从总体中抽取一个样本，然后根据样本的某种特性去估计总体的相应特性. 在本章里，我们主要学习如何用样本的平均数去估计总体的平均数.

练　习

1. 说明在以下问题中，总体、个体、样本、样本的容量各指什么.

(1) 为了考察一个学校的学生参加课外体育活动的情况，调查了其中 20 名学生每天参加课外体育活动的时间.

(2) 为了了解一批灯泡的寿命，从中抽取 10 只进行试验.

(3) 为了考察某公园一年中每天进园的人数，在其中的 30 天里对进园的人数进行了统计.

2. 举一个在实际生活中通过样本研究总体的例子.

上面，我们介绍了什么是总体、个体、样本、样本的容量. 在此基础上，我们把总体中所有个体的平均数叫做**总体平均数**，把样本中所有个体的平均数叫做**样本平均数**. 对于上面由 2 万多名考生的成绩组成的总体来说，所有考生的平均成绩就是总体平均数，所抽查的部分考生的平均成绩就是样本平均数.

通常，我们是用样本平均数去估计总体平均数. 比如，在例 2 中算出所取出的 20 件机器零件毛坯的平均质量为 206 千克. 由此可以估计，该批机器零件毛坯平均每件的质量约为 206 千克.

例 4 从某校参加毕业考试的学生中，抽查了 30 名学生的数学成绩，分数如下：

90	84	84	86	87	98	78	82	90	93
68	95	84	71	78	61	94	88	77	100
70	97	85	68	99	88	85	92	93	97

计算样本平均数.

解：$\bar{x}=\frac{1}{30}(90+84+\cdots+97)$

$=\frac{2\ 562}{30}\approx 85$,

即样本平均数为 85.

于是可以估计，该校参加毕业考试的学生的数学平均成绩约为 85 分.

注意 一般来说，用样本估计总体时，样本容量越大，样本对总体的估计也就越精确，相应地，搜集、整理、计算数据的工作量也就越大. 因此，在实际工作中，样本容量的确定既要考虑问题本身的需要，又要考虑实现的可能性和所付出的代价的大小.

练　习

1. 抽查了一个商店某月里5天的日营业额，结果如下(单位:元)：

14845　25306　18954　11672　16330

(1) 求样本平均数；

(2) 根据样本平均数估计，这个商店在该月里平均日营业额约是多少.

2. 在一段时间里，一个学生记录了其中 8 天他每天完成家庭作业所需要的时间，结果如下(单位:分)：

80　70　90　70　60　50　80　60

在这段时间里，该学生平均每天完成家庭作业所需要的时间约是多少？

习　题　14.1

A　组

1. 一所中学的数学教研组的10位教师的年龄分别是：

58　59　49　50　53　37　23　28　26　31

求他们的平均年龄(结果保留到小数点后第1位).

2. 在由某电视台举办的唱歌比赛中，由10位评判员现场给每位歌手打分，然后将去掉其中的一个最高分和一个最低分之后的其余分数的平均数作为该歌手的成绩. 已知10位评判员给某位歌手的打分是

9.5　9.5　9.3　9.8　9.4　9.1　9.6　9.5　9.2　9.6

求这位歌手的得分(结果保留到小数点后第2位).

3. 计算下面各组数据的平均数：

(1) 9.48　9.46　9.43　9.49　9.47　9.45　9.44　9.42　9.47　9.46

(2) 783　769　774　779　765

4. 一个中学足球队的20名队员的身高如下(单位:厘米)：

170　167　171　168　160　172　168　162　172　169
164　174　169　165　175　170　165　167　170　172

计算这些队员的平均身高.

5. 一个射手连续射靶20次，其中2次射中10环，7次射中9环，8次射中8环，3次射中7环. 求平均每次射中的环数(结果保留到小数点后第1位).

6. 某班一次语文测验的成绩如下：得 100 分的 7 人，90 分的 14 人，80 分的 17 人，70 分的 8 人，60 分的 2 人，50 分的 2 人．计算这次测验全班的平均成绩．

7. 为了检查一批零件的质量，从中抽取 10 件，量得它们的长度如下（单位：毫米）：

22.36　22.35　22.33　22.35　22.37

22.34　22.38　22.36　22.32　22.35

(1) 在这个问题中，总体、个体、样本和样本的容量各指什么？

(2) 计算样本平均数．

8. 为了考察一块试验地里黄麻植株的高度，从中抽取了 20 株，并量得株高如下（单位：厘米）：

346　294　365　315　339　313　317　305　321　325

315　329　324　329　368　336　366　308　301　362

(1) 在这个问题中，总体和样本各指什么？

(2) 计算样本平均数．

9. 为了了解汽车在某一路口的流量，调查了 10 天中在每天同一时段里通过该路口的汽车辆数，结果如下：

183　209　195　178　204　215　191　208　167　197

在每天该时段里，平均约有多少辆汽车通过这个路口？

10. 为了了解某电影院上半年每天晚场的观众人数，抽查了其中 12 天每天晚场的观众人数，结果如下：

641　717　753　684　850　638

724　591　675　713　841　668

这家电影院上半年平均每天晚场的观众人数约是多少？

11. 某农科站为了选择早稻良种，在 10 个试验点对甲、乙两个品种作了对比试验，结果如下：[1]

品种	各试验点亩产量(单位：千克)									
	1	2	3	4	5	6	7	8	9	10
甲	390	409	427	397	420	482	397	389	438	432
乙	404	386	363	375	375	430	373	370	353	412

哪个品种在 10 个试验点的平均产量较高？

B 组

1. 已知两组数 $x_1, x_2, \cdots, x_n$ 和 $y_1, y_2, \cdots, y_n$ 的平均数分别是 $\overline{x}$ 和 $\overline{y}$，求：

(1) 一组新数据 $8x_1, 8x_2, \cdots, 8x_n$ 的平均数；

(2) 一组新数据 $x_1+y_1, x_2+y_2, \cdots, x_n+y_n$ 的平均数.

2. 一组数据的平均数能大于其中每个数据吗？能大于除其中 1 个数据以外的所有数据吗？

想一想

算得一次体育测验初三全年级 4 个班的平均成绩分别是 $\overline{x}_1$，$\overline{x}_2$，$\overline{x}_3$，$\overline{x}_4$. 于是一位同学断言：这一次测验全年级的平均成绩是 $\frac{1}{4}(\overline{x}_1+\overline{x}_2+\overline{x}_3+\overline{x}_4)$. 你同意这种说法吗？

---

[1] 所用资料是以亩作为面积的度量单位的. 按照我国对计量单位使用的新规定，面积度量单位应该采用平方米、平方公里等，下同.

14.2 众数与中位数

1. 理解众数与中位数的意义.
2. 会求一组数据的众数与中位数.

一家鞋店在一段时间内销售了某种女鞋30双，其中各种尺码的鞋的销售量如下表所示.

鞋的尺码（单位：厘米）	22	22.5	23	23.5	24	24.5	25
销售量（单位：双）	1	2	5	11	7	3	1

在这个问题里，鞋店比较关心的是哪种尺码的鞋销售得最多. 从表中看到，23.5厘米的鞋销售了11双，是销售得最多的.

在一组数据中，出现次数最多的数据叫做这组数据的**众数**. 在由上面30双鞋的尺码组成的一组数据中，23.5（厘米）出现的次数最多，它是这组数据的众数.

当一组数据中不少数据多次重复出现时，常用众数来描述这组数据的集中趋势.

例1 在一次英语口试中，20名学生的得分如下：

70　80　100　60　80　70　90　50　80　70

80　70　90　80　90　80　70　90　60　80

求这次英语口试中学生得分的众数.

解:在上面数据中,80 出现了 7 次,是出现次数最多的,所以 80 是这组数据的众数.

答:这次英语口试中,学生得分的众数是 80(分).

在一次数学竞赛中,5 名学生的成绩从低分到高分排列依次是

55　　57　　61　　62　　98

在上面的 5 个数据中,前 4 个数据的大小比较接近,最后 1 个数据与它们的差异较大. 这时,如果用其中最中间的数据 61 来描述这组数据的集中趋势,可以不受个别数据的较大变动的影响.

将一组数据按大小依次排列,把处在最中间位置的一个数据(或最中间两个数据的平均数)叫做这组数据的**中位数**. 在上面按从小到大的顺序排列的 5 个数据中,最中间的一个数据是 61,它是这组数据的中位数;又如在按从小到大的顺序排列的 4 个数据 0.5、0.8、0.9、1.0 中,最中间的两个数据的平均数是 0.85,它是这组数据的中位数.

例 2　10 名工人某天生产同一零件,生产的件数是

15　17　14　10　15　19　17　16　14　12

求这一天 10 名工人生产的零件的中位数.

解:将 10 个数据按从小到大的顺序排列,得到

10　12　14　14　15　15　16　17　17　19

其中最中间的两个数据都是 15,它们的平均数是 15,即这组数据的中位数是 15(件).

答:这一天 10 人生产的零件的中位数是 15(件).

例 3　在一次中学生田径运动会上,参加男子跳高的 17 名运动员的成绩如下表所示:

成绩(单位:米)	1.50	1.60	1.65	1.70	1.75	1.80	1.85	1.90
人数	2	3	2	3	4	1	1	1

分别求这些运动员成绩的众数,中位数与平均数(平均数的计算结果保留到小数点后第 2 位).

解:在 17 个数据中,1.75 出现了 4 次,出现的次数最多,即这组数据的众数是 1.75;

上面表里的 17 个数据可看成是按从小到大的顺序排列的,其中第 9 个数据 1.70 是最中间的一个数据,即这组数据的中位数是 1.70;

这组数据的平均数是

$$\bar{x}=\frac{1}{17}(1.50\times 2+1.60\times 3+\cdots+1.90\times 1)$$

$$=\frac{28.75}{17}\approx 1.69(\text{米}).$$

答:17 名运动员成绩的众数、中位数、平均数依次是 1.75(米)、1.70(米)、1.69(米).

在例 3 中,运动员成绩的众数是 1.75 米,说明成绩为 1.75 米的人数最多;运动员成绩的中位数是 1.70(米),说明 1.70 米以下和 1.70 米以上的数据各占一半;运动员成绩的平均数是 1.69(米),说明所有参赛运动员的平均成绩是 1.69 米.

我们看到,众数、中位数与平均数从不同的角度描述了一组数据的集中趋势.其中,又以平均数的应用最为广泛.

练　习

1. 求下面各组数据的众数:

(1) 3　4　3　2　4　5　5　5　4　4　1

(2) 1.0　1.1　1.0　0.9　0.8　1.2　1.0　0.9　1.1　0.9

2. 求下面各组数据的中位数:

(1) 100　80　75　73　70　50

(2) 120　100　130　80　150　100　200

3. 分别求下面一组数据的众数、中位数与平均数:

10　20　80　40　30　90　50　40　50　40

习　题　14.2

A　组

1. 一名射击运动员连续射靶 16 次,命中的环数如下:

8　9　10　9　8　7　9　10

9　8　8　9　10　9　8　7

求这名运动员射击环数的众数.

2. 在一次体操比赛中,4 名裁判员同时给运动员完成的动作打分,并规定将 4 个分数的中位数作为运动员的得分. 已知 4 名裁判员给某运动员完成的动作打出的分数如下:

9.5　9.4　9.5　9.8

求该运动员的得分.

3. 某班 50 名学生右眼视力的检查结果如下表所示:

视　　力	0.1	0.2	0.3	0.4	0.5	0.6	0.7	0.8	1.0	1.2	1.5
人　　数	1	1	3	4	3	4	4	6	8	10	6

求该班学生右眼视力的众数与中位数.

B　组

一组数据的众数、中位数与平均数有可能是同一数据吗?

14.3 方差

> 1. 了解方差、标准差的意义，会计算一组数据的方差与标准差.
> 2. 了解样本方差、样本标准差、总体方差的意义.

两台机床同时生产直径是 40 毫米的零件. 为了检验产品质量，从产品中各抽出 10 件进行测量，结果如下(单位:毫米)：

机床甲	40	39.8	40.1	40.2	39.9	40	40.2	39.8	40.2	39.8
机床乙	40	40	39.9	40	39.9	40.2	40	40.1	40	39.9

上面表中的数据如图 14-1 所示.

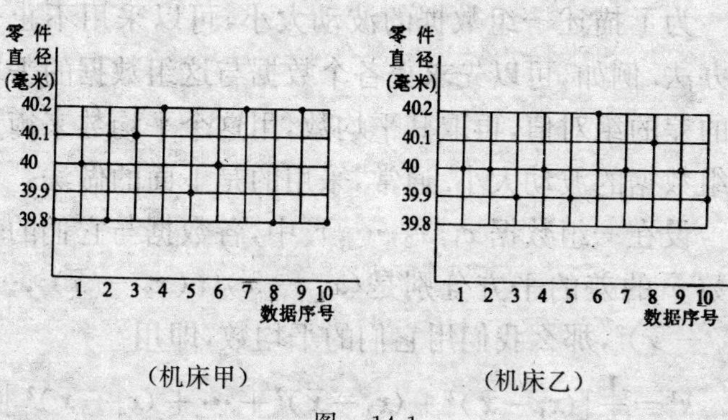

图 14-1

可以利用公式 ② 分别计算这两组数据的平均数(在公式 ② 中取 $a = 40$).

$$\bar{x}_{甲}=40+\frac{1}{10}[0+(-0.2)+\cdots+(-0.2)]$$
$$=40,$$
$$\bar{x}_{乙}=40+\frac{1}{10}[0+0+\cdots+(-0.1)]=40.$$

这就是说，两组数据的平均数都等于规定尺寸 40 毫米. 从图 14-1 中又看到，机床甲生产的零件的直径与规定尺寸偏差较大，偏离 40 毫米线较多；机床乙生产的零件的直径与规定尺寸偏差较小，比较集中在 40 毫米线的附近. 这说明，在使所生产的 10 个零件的直径符合规定方面，机床乙比机床甲要好.

从上面看到，对于一组数据，除需要了解它们的平均水平以外，还常常需要了解它们的波动大小(即偏离平均数的大小).

为了描述一组数据的波动大小，可以采用不止一种办法. 例如，可以先求得各个数据与这组数据的平均数的差的绝对值，再取其平均数，用这个平均数来衡量这组数据的波动大小. 通常，采用的是下面的做法：

设在一组数据 $x_1, x_2, \cdots, x_n$ 中，各数据与它们的平均数 $\bar{x}$ 的差的平方分别是 $(x_1-\bar{x})^2, (x_2-\bar{x})^2, \cdots, (x_n-\bar{x})^2$，那么我们用它们的平均数，即用

$$\boldsymbol{s^2=\frac{1}{n}[(x_1-\bar{x})^2+(x_2-\bar{x})^2+\cdots+(x_n-\bar{x})^2]} \quad ③$$

来衡量这组数据的波动大小，并把它叫做这组数据的**方差**. 一组数据方差越大，说明这组数据波动越大.

我们来计算上面机床甲、乙两组数据的方差.

$$s_{甲}^2=\frac{1}{10}[(40-40)^2+(39.8-40)^2+\cdots+(39.8-40)^2]$$

$$=\frac{1}{10}[0^2+(-0.2)^2+\cdots+(-0.2)^2]$$

$$=\frac{1}{10}\times 0.26=0.026(毫米^2);$$

$$s_{乙}^2=\frac{1}{10}[(40-40)^2+(40-40)^2+\cdots+(39.9-40)^2]$$

$$=\frac{1}{10}[0^2+0^2+\cdots+(-0.1)^2]$$

$$=\frac{1}{10}\times 0.08=0.008(毫米^2).$$

从 $0.026>0.008$ 知道,机床甲生产的 10 个零件直径比机床乙生产的 10 个零件直径波动要大.

例 1 已知两组数据:

甲	9.9	10.3	9.8	10.1	10.4	10	9.8	9.7
乙	10.2	10	9.5	10.3	10.5	9.6	9.8	10.1

分别计算这两组数据的方差.

解:根据公式②(取 $a=10$),有

$$\bar{x}_{甲}=10+\frac{1}{8}(-0.1+0.3-0.2+0.1+0.4+0-0.2-0.3)$$

$$=10+\frac{1}{8}\times 0=10;$$

$$\bar{x}_{乙}=10+\frac{1}{8}(0.2+0-0.5+0.3+0.5-0.4-0.2+0.1)$$

$$=10+\frac{1}{8}\times 0=10.$$

于是，

$$s_{甲}^2=\frac{1}{8}[(9.9-10)^2+(10.3-10)^2+\cdots+(9.7-10)^2]$$

$$=\frac{1}{8}[0.01+0.09+\cdots+0.09]$$

$$=\frac{1}{8}\times 0.44=0.055;$$

$$s_{乙}^2=\frac{1}{8}[(10.2-10)^2+(10-10)^2+\cdots+(10.1-10)^2]$$

$$=\frac{1}{8}[0.04+0+\cdots+0.01]$$

$$=\frac{1}{8}\times 0.84=0.105.$$

从 $s_{甲}^2<s_{乙}^2$ 知道，乙组数据比甲组数据波动大.

在有些情况下，需要用到方差的算术平方根

$$s=\sqrt{\frac{1}{n}[(x_1-\bar{x})^2+(x_2-\bar{x})^2+\cdots+(x_n-\bar{x})^2]},④$$

并把它叫做这组数据的**标准差**，它也是一个用来衡量一组数据的波动大小的重要的量.

在本节有关零件直径的例子中，两组数据的标准差分别是：

$$s_{甲}=\sqrt{0.026}\approx 0.16(毫米);$$

$$s_{乙}=\sqrt{0.008}\approx 0.089(毫米).$$

计算标准差要比计算方差多开一次平方，但它的度量单位与原数据的一致，有时用它比较方便.

练　习

计算下列各组数据的方差与标准差(结果保留到小数点后第1位):

(1) -1　2　0　-3　-2　3　0　1

(2) 28　24　25　23　27　24　22　24　25　28

我们看到,按照公式③计算一组数据的方差比较麻烦.那么,有没有较为简便的计算方法呢?

我们来看一看,能不能将公式③适当化简.为便于研究,我们假定一组数据中仅包含3个数据 x_1, x_2, x_3,它们的平均数是 $\overline{x}$,那么它们的方差是

$$s^2=\frac{1}{3}[(x_1-\overline{x})^2+(x_2-\overline{x})^2+(x_3-\overline{x})^2].$$

将方括号内的各项展开后再整理,得到

$$s^2=\frac{1}{3}[(x_1^2-2x_1\overline{x}+\overline{x}^2)+(x_2^2-2x_2\overline{x}+\overline{x}^2)+(x_3^2-2x_3\overline{x}+\overline{x}^2)]$$

$$=\frac{1}{3}[(x_1^2+x_2^2+x_3^2)-2(x_1+x_2+x_3)\overline{x}+3\overline{x}^2]$$

$$=\frac{1}{3}\left[(x_1^2+x_2^2+x_3^2)-2\times3\times\frac{x_1+x_2+x_3}{3}\overline{x}+3\overline{x}^2\right]$$

$$=\frac{1}{3}[(x_1^2+x_2^2+x_3^2)-2\times3\overline{x}^2+3\overline{x}^2]$$

$$=\frac{1}{3}[(x_1^2+x_2^2+x_3^2)-3\overline{x}^2].$$

一般地,如果一组数据的个数是 n,那么它们的方差可以用下面的公式计算:

$$s^2=\frac{1}{n}\left[(x_1^2+x_2^2+\cdots+x_n^2)-n\bar{x}^2\right],❶ \qquad ⑤$$

用公式 ⑤ 计算方差,是直接计算各个数据的平方,而不必计算各个数据与平均数的差的平方,因此它比用公式 ③ 计算少一个步骤,有时比较方便.

例 2 计算下面数据的方差(结果保留到小数点后第 1 位):

3 −1 2 1 −3 3

解:这组数据的平均数不是整数,用公式 ③ 计算方差比较麻烦,我们用公式 ⑤ 来计算.

$$\begin{aligned}s^2&=\frac{1}{6}\left[3^2+(-1)^2+2^2+1^2+(-3)^2+3^2\right.\\&\qquad\left.-6\times\left(\frac{3-1+2+1-3+3}{6}\right)^2\right]\\&=\frac{1}{6}\left[9+1+4+1+9+9-6\times\left(\frac{5}{6}\right)^2\right]\\&=\frac{1}{6}\left(33-6\times\frac{25}{36}\right)\\&=\frac{1}{6}\times 33-\frac{25}{36}\\&\approx 5.5-0.7=4.8.\end{aligned}$$

---

❶ 公式 ⑤ 及后面的公式 ⑥ 的推导均不作要求.

练　习

用公式⑤计算下面数据的方差(结果保留到小数点后第1位):

5　4　4　3　4　3　2　3　5　3

当一组数据中的数据较大时,用公式⑤计算它们的方差仍然比较麻烦.如果数据相互比较接近,为了减小参与计算的数据,我们可以仿照前面简化平均数计算的办法,将每个数据同时减去一个与它们的平均数接近的常数 a,这时可以推得下面的方差计算公式:

$$s^2=\frac{1}{n}[(x'^2_1+x'^2_2+\cdots+x'^2_n)-n\overline{x}'^2], \quad ⑥$$

其中

$x'_1=x_1-a$, $x'_2=x_2-a$, $\cdots$, $x'_n=x_n-a$,

$x_1,x_2,\cdots,x_n$ 是原已知的 n 个数据,a 是接近这组数据的平均数的一个常数.

由于在替换 $x'_i=x_i-a(i=1,2,\cdots,n)$ 中所取的常数 a 与平均数 $\overline{x}$ 比较接近,各数据 x'_i 比较小,因此当数据较大时,用公式⑥计算方差比较简便.

例 3　甲、乙两个小组各 10 名学生的英语口语测验成绩如下(单位:分):

甲组 76　90　84　86　81　87　86　82　85　83

乙组 82　84　85　89　79　80　91　89　79　74

哪个小组学生的成绩比较整齐?

解：由于数据较大，我们用公式 ⑥ 来分别计算两组数据的方差，步骤如下：

(1) 确定替换 $x'_i = x_i - a$ 中的常数 a.

由于两组数据都在 80 左右波动，我们取 $a = 80$.

(2) 如表 1、表 2 所示，分别计算各个 x'_i 以及 x'^2_i $(i = 1,2,\cdots,10)$，然后计算各个 x'_i 的和以及各个 x'^2_i 的和，并填入表中.

表 1 （甲组成绩）

x_i	x'_i $(x_i - 80)$	x'^2_i
76	-4	16
90	10	100
84	4	16
86	6	36
81	1	1
87	7	49
86	6	36
82	2	4
85	5	25
83	3	9
合计	40	292

表 2 （乙组成绩）

x_i	x'_i $(x_i - 80)$	x'^2_i
82	2	4
84	4	16
85	5	25
89	9	81
79	-1	1
80	0	0
91	11	121
89	9	81
79	-1	1
74	-6	36
合计	32	366

(3) 将表中有关数据代入公式 ⑥，得

$$s_{甲}^2=\frac{1}{10}\left[292-10\left(\frac{40}{10}\right)^2\right]$$

$$=\frac{1}{10}(292-160)$$

$$=13.2;$$

$$s_{乙}^2=\frac{1}{10}\left[366-10\times\left(\frac{32}{10}\right)^2\right]$$

$$=\frac{1}{10}[366-102.4]$$

$$=\frac{1}{10}\times 263.6$$

$$=26.36.$$

$s_{甲}^2<s_{乙}^2$ 表明，甲组学生的成绩比乙组学生的成绩整齐.

练　习

计算下列各组数据的方差与标准差(结果保留到小数点后第1位)：

(1) 20　21　23　24　26

(2) 48　50　50　51　52　53　53　55

(3) 105 103 101 100 114 108 110 106 98 102

(4) 423 421 419 420 421 417 422 419 423 418

例 4 在 8 个试验点对两个早稻品种进行栽培对比试验，它们在各试验点的产量如下(单位：千克)：

甲 402 492 495 409 460 420 456 501

乙 428 466 465 428 436 455 449 459

在这些试验点哪种水稻的产量比较稳定？

解：根据题意，是要比较两组数据的方差的大小. 由于数据较大，我们仿照例 3 的步骤，根据公式 ⑥ 来计算两组数据的方差.

表 3 （甲种水稻）

x_i	x'_i (x_i-450)	x'^2_i
402	-48	2304
492	42	1764
495	45	2025
409	-41	1681
460	10	100
420	-30	900
456	6	36
501	51	2601
合计	35	11411

表 4 （乙种水稻）

x_i	x'_i (x_i-450)	x'^2_i
428	-22	484
466	16	256
465	15	225
428	-22	484
436	-14	196
455	5	25
449	-1	1
459	9	81
合计	-14	1752

(1)由于两组数据都在 450 左右波动，我们在替换 $x'_i=x_i-a$ 中，取 $a=450$.

(2)如表 3、表 4 所示，分别计算各个 x'_i 以及各个 x'^2_i，然后再计算各个 x'_i 的和以及各个 x'^2_i 的和，并填入相应的表中.

(3)将表中的有关数据代入公式⑥，得

$$s^2_{甲}=\frac{1}{8}\left[11411-8\times\left(\frac{35}{8}\right)^2\right]$$

$$=\frac{1}{8}\times11411-\frac{1225}{64}$$

$$\approx1426.4-19.1\approx1407.$$

$$s^2_{乙}=\frac{1}{8}\left[1752-8\times\left(-\frac{14}{8}\right)^2\right]$$

$$=\frac{1}{8}\times1752-\frac{49}{16}$$

$$\approx219-3.1\approx216.$$

$s^2_{乙}<s^2_{甲}$ 表明，在这些试验点乙种水稻比甲种水稻的产量稳定.

在例 3 中，如果把甲组(或乙组)所有 10 名学生的英语口语测验成绩的全体看成是一个总体，那么算得的 $s^2_{甲}$(或 $s^2_{乙}$)就是由所含的 10 个个体组成的总体的方差. 它反映了甲(或乙)总体的波动大小.

这样，例 3 中比较 $s_{甲}^2$ 与 $s_{乙}^2$，实际上也就是比较甲总体方差与乙总体方差的大小.

从甲总体中抽取 5 名学生的成绩如下：

76　84　81　86　85

算得这 5 个数据的方差是 13.04，标准差是 3.61. 由于我们实际上是从甲总体中抽取了一个容量为 5 的样本，上面算得的方差(或标准差)也就是相应于甲总体的一个容量为 5 的样本方差(或样本标准差). 通常，从一个总体中抽取的样本的方差与总体方差有着密切联系. 由于我们所考察的总体中包含的个体数往往很多，或者考察时带有破坏性，正像常用样本平均数去估计总体平均数那样，也常用样本方差去估计总体方差(涉及比较两个总体方差的问题，本书不作讨论).

在本章开头，我们提出了一个射击比赛问题. 现在，可以回过头来研究这个问题. 不难算得

$$\bar{x}_{甲}=7,\quad \bar{x}_{乙}=7,$$

$$s_{甲}^2=3,\quad s_{乙}^2=1.2.$$

尽管两人射击的平均环数相同，但 $s_{乙}^2<s_{甲}^2$，这表明乙的成绩比甲的成绩稳定一些. 这个计算结果，将是确定两名学生中谁去参加射击比赛的重要依据.

习　题　14.3

A　组

1. 计算下面两组数据的方差,并比较它们的大小:

(1) −2　−1　0　1　2

(2) −3　0　0　0　3

2. 求下面各组数据的方差与标准差(结果保留到小数点后第1位):

(1) 1　2　3　4　5　6　7　8　9

(2) 11　12　13　14　15　16　17　18　19

(3) 10　20　30　40　50　60　70　80　90

(4) 3　5　7　9　11　13　15　17　19

3. 甲、乙两台机床同时生产一种零件.在10天中,两台机床每天出的次品数分别是

甲　0　1　0　2　2　0　3　1　2　4

乙　2　3　1　1　0　2　1　1　0　1

分别计算两个样本的平均数与方差.从计算结果看,哪台机床10天生产中出次品的平均数较小?出次品的波动较小?

4. 甲、乙两台包装机同时包装质量为500克的糖果,从中各抽出10袋,测得其实际质量分别如下(单位:克):

甲　501　500　508　506　510　509　500　493　494　494

乙　503　504　502　496　499　501　505　497　502　499

哪台包装机包装的10袋糖果的质量比较稳定?

5. 某农场种植的甲、乙两种水稻，在连续 6 年中各年的平均亩产量如下（单位：千克）：

品　种	第 1 年	第 2 年	第 3 年	第 4 年	第 5 年	第 6 年
甲	450	460	450	425	455	460
乙	445	480	475	425	430	445

哪种水稻在这 6 年中的产量比较稳定？

6. 下面是今年与前年在大致相同条件下饲养的 10 头猪的体长数据（单位：厘米）：

前年　112　110　110　117　113　122　125　124　119　127

今年　111　122　115　123　114　115　118　114　116　115

哪年饲养的 10 头猪的体长比较一致？

B 组

1. 在上面 *A* 组第 2 题里：

(1) 比较其中第(1)小题与第(2)小题的计算结果，你能得出什么结论？

(2) 比较其中第(1)小题与第(3)小题的计算结果，你能得出什么结论？

(3) 比较其中第(1)小题与第(4)小题的计算结果，你能得出什么结论？

（提示：数据 3，5，…，19 可分别看成是 $2\times1+1, 2\times2+1, \cdots, 2\times9+1$）.

2. 一组数据的方差一定是正数吗？

14.4 用计算器求平均数、标准差与方差[1]

会用计算器求平均数、标准差与方差.

上面看到，用笔算求一组数据的平均数、方差与标准差，通常比较麻烦，而如果改用计算器来算，则显得非常简便. 这时只要按照指定的方法将各个数据依次输入计算器，然后按一下有关的键，即可直接得出计算结果. 下面，我们用表格说明如何用计算器求 14.3 节例 1 中两组数据的平均数、标准差与方差.

表 5 （甲组数据）

按　键	显　示
2ndF STAT	STAT DEG 0.
9.9 DATA	STAT DEG 1.
10.3 DATA	STAT DEG 2.
9.8 DATA	STAT DEG 3.
10.1 DATA	STAT DEG 4.
10.4 DATA	STAT DEG 5.
10 DATA	STAT DEG 6.
9.8 DATA	STAT DEG 7.
9.7 DATA	STAT DEG 8.
$\bar{x}$	STAT DEG 10.
2ndF σ	STAT DEG 0.234520788
× =	STAT DEG 0.055

[1] 本节是选学内容.

注意 1. 在打开计算器后，先按键[2nd F]、[STAT]（英语 Statistics 的简写，是“统计”的意思），是使计算器进入统计计算状态.

2. 每次按数据后再按键[DATA]（英语“数据”的意思），表示已将这个数据输入计算器. 这时显示的数，是已输入的数据的累计个数. 表中所有数据输入后显示的数为8，表明所有数据的个数（样本容量）为8. 如果有重复出现的数据，比如有7个数据是3，那么输入时可按3[×]7（前面是输入的数据，后面是输入数据的个数）.

3. 在 *CZ* 1206型计算器键盘上，用 σ（希腊字母，读作“西格马”）表示一组数据的标准差（本书中用 s 表示）. 由于这个计算器上未单设方差计算键，我们可以先按键 σ，然后将它平方，即按键[×][=]，就得到方差值 s^2. 表5里安排这一步计算，是为了与前面笔算的结果进行比较. 实际上，为了比较两组数据的波动大小，这里只需比较它们的标准差.

根据表5，得到

$$\bar{x}=10, \quad s\approx 0.235, \quad s^2=0.055.$$

用同样的方法，可以算出乙组数据的方差（表6）.

表6 （乙组数据）

按 键	显 示
2ndF STAT	STAT DEG 0.
10.2 DATA	STAT DEG 1.
10.8 DATA	STAT DEG 2.
DEL	STAT DEG 1.
10 DATA	STAT DEG 2.
9.5 DATA	STAT DEG 3.
10.3 DATA	STAT DEG 4.
10.5 DATA	STAT DEG 5.
9.6 DATA	STAT DEG 6.
9.8 DATA	STAT DEG 7.
10.1 DATA	STAT DEG 8.
$\bar{x}$	STAT DEG 10.
2ndF σ	STAT DEG 0.324037035
× =	STAT DEG 0.105

注意 1. 在重新进行统计计算时，要先按键 2ndF DCA，以清除前面计算中储存的数据.

2. 在输入数据的过程中，如发现刚输入的数据有误，可按键 DEL 将它清除. 例如在表6中，发现刚输入的第2个数据有误（原应输入10，误输入10.8），就按键 DEL 将它清除，然后继续往下输入.

根据表6，得到

$$\bar{x}=10,\quad s\approx 0.324,\quad s^2=0.105.$$

我们看到，表5、表6与前面的笔算结果是一致的.

用计算器进行统计计算，可以很快求得结果，省时省力．特别是当数据较多、较繁时，用计算器进行统计计算的优越性就会更加明显．事实上，正是由于计算机和计算器的出现和不断改进，才使得处理数据的统计学得到了飞速的发展和广泛的应用．

注意 用计算器进行统计计算时，由于数据输入的过程较长，操作时务必仔细，避免出错．

练 习

1. 用计算器求下面各组数据的平均数与方差（结果保留到个位）：

（1）158 176 134 165 171 159 144

161 166 159 148 155 152 148

（2）4853 4762 4814 4662 4627

4735 4819 4593 4647 4775

2. 已知两组数据：

甲：1 2 3 4 5 6 7

乙：1 1 4 4 4 7 7

用计算器分别求它们的标准差，并根据计算结果说明哪组数据的波动较大．

习 题 14.4

A 组

用计算器解决第14.1节、第14.3节练习和习题中各计算题．

14.5 频率分布

了解频率分布的意义，会得出一组数据的频率分布.

为了了解中学生的身体发育情况，对某中学同年龄的60名女学生的身高进行了测量，结果如下（单位：厘米）：

167	154	159	166	169	159	156	166	162	158
159	156	166	160	164	160	157	156	157	161
158	158	153	158	164	158	163	158	153	157
162	162	159	154	165	166	157	151	146	151
158	160	165	158	163	163	162	161	154	165
162	162	159	157	159	149	164	168	159	153

我们知道，这组数据的平均数，反映了这些学生的平均身高.但是，有时只知道这一点还不够，还希望知道身高在哪个小范围内的学生多，在哪个小范围内的学生少，也就是说，希望知道这60名女学生的身高数据在各个小范围内所占的比的大小.为此，需要对这组数据进行适当整理.整理数据时，可以按照下面的步骤进行.

1. 计算最大值与最小值的差.

在上面的数据中，最大值是169，最小值是146，它们的差是

$$169-146=23(\text{厘米}).$$

算出了最大值与最小值的差，就知道这组数据变动的范围有多大.

2. 决定组距与组数.

将一批数据分组，一般数据越多，分的组数也越多. 当数据在100个以内时，按照数据的多少，常分成5～12组.

组距是指每个小组的两个端点之间的距离. 在本例中，如果取组距为3厘米，那么由于在这批数据中，

$$\frac{\text{最大值}-\text{最小值}}{\text{组距}}=\frac{23}{3}=7\frac{2}{3},$$

要将数据分成8组；如果取组距为2厘米，那么由于$\frac{23}{2}=11\frac{1}{2}$，要分成12组. 分成8组更合适些. 于是取定组距为3厘米，组数为8.

3. 决定分点.

将数据按照3厘米的组距分组时，可以分成以下8组：

146～149， 149～152， 152～155， 155～158，

158～161， 161～164， 164～167， 167～170.

这时我们看到,有些数据(例如149,158,167)本身就是分点,不好决定它们究竟应该属于哪一组.为了避免出现这种情况,可以使分点比数据多一位小数,并且把第1组的起点稍微减小一点.例如,可以将第1组的起点定为145.5,这样,所分的8个小组是:

145.5～148.5, 148.5～151.5, 151.5～154.5,

154.5～157.5, 157.5～160.5, 160.5～163.5,

163.5～166.5, 166.5～169.5.

4.列频率分布表.

表7 频 率 分 布 表

分 组	频数累计	频 数	频 率
145.5～148.5	一	1	0.017
148.5～151.5	下	3	0.050
151.5～154.5	正一	6	0.100
154.5～157.5	正下	8	0.133
157.5～160.5	正正正下	18	0.300
160.5～163.5	正正一	11	0.183
163.5～166.5	正正	10	0.167
166.5～169.5	下	3	0.050
合 计		60	1.000

如表7的第1列、第2列所示,用选举时唱票的方法,对落在各个小组内的数据进行累计.然后,数出落在各个小组内的数据的个数(叫做**频数**),并填入表7中的第3列.

每一小组的频数与数据总数的比值叫做这一小组的**频率**. 例如,第1小组的频率是

$$\frac{1}{60}\approx 0.017.$$

算出各个小组的频率,并填入表7的第4列.

表7叫做**频率分布表**. 列出频率分布表以后,就知道这些数据在各个小组内所占的比的大小了.

5. 画频率分布直方图.

如图14-2所示,为了将频率分布表中的结果直观形象地表示出来,常画出**频率分布直方图**.

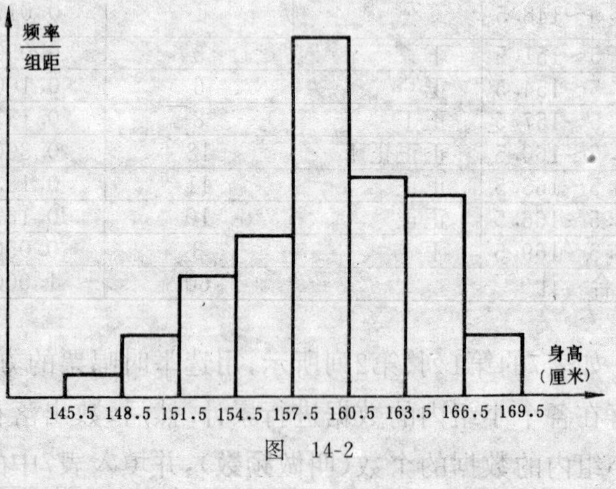

图 14-2

在图14-2中，横半轴表示身高，纵半轴表示频率与组距的比值. 容易看出，

$$小长方形面积=组距\times\frac{频率}{组距}=频率,$$

这就是说，各个小长方形的面积等于相应各组的频率. 这样，频率分布直方图就以图形面积的形式反映了数据落在各个小组内的频率的大小.

如要通过计算各频率与组距的比值来确定图中各小长方形的高，比较麻烦. 有没有简便的办法呢？

在图14-2中，

$$小长方形高=\frac{频率}{组距}=\frac{1}{组距\times数据总数}\times频数,$$

因为组距与数据总数都是常数，$\frac{1}{组距\times数据总数}$也是常数. 这就是说，小长方形的高与频数成正比.

利用这个性质来确定各小长方形的高，比较方便. 在本例中，如果用 h 表示频数为1的小长方形的高，那么频数为 k 的小长方形的高就是 kh. 例如，148.5～151.5这个小组的频数是3，相应的小长方形的高就是 $3h$.

在频率分布直方图中，由于各小长方形的面积等于相应各组的频率，而各组频率的和等于1，因此各小长方形的面积的和等于1.

以上就是获得一组数据的频率分布的一般方法.我们看到,频率分布表和频率分布直方图是一组数据的频率分布的两种不同表示形式,前者准确,后者直观.将它们合在一起,可使我们对一组数据的频率分布有一个清晰的了解.例如可以看到,数据在157.5～160.5厘米的频率最大,即身高在这个范围内所占的学生的比最大.

例 为了考察某种大麦穗长的分布情况,在一块试验地里抽取了100个穗,量得它们的长度如下(单位:厘米):

6.5	6.4	6.7	5.8	5.9	5.9	5.2	4.0	5.4	4.6
5.8	5.5	6.0	6.5	5.1	6.5	5.3	5.9	5.5	5.8
6.2	5.4	5.0	5.0	6.8	6.0	5.0	5.7	6.0	5.5
6.8	6.0	6.3	5.5	5.0	6.3	5.2	6.0	7.0	6.4
6.4	5.8	5.9	5.7	6.8	6.6	6.0	6.4	5.7	7.4
6.0	5.4	6.5	6.0	6.8	5.8	6.3	6.0	6.3	5.6
5.3	6.4	5.7	6.7	6.2	5.6	6.0	6.7	6.7	6.0
5.5	6.2	6.1	5.3	6.2	6.8	6.6	4.7	5.7	5.7
5.8	5.3	7.0	6.0	6.0	5.9	5.4	6.0	5.2	6.0
6.3	5.7	6.8	6.1	4.5	5.6	6.3	6.0	5.8	6.3

列出样本的频率分布表,画出频率分布直方图.

解:(1)计算最大值与最小值的差.

在样本数据中,最大值是7.4,最小值是4.0,它们的差是

$$7.4-4.0=3.4(\text{厘米}).$$

(2)决定组距与组数.

在本例中,最大值与最小值的差是3.4厘米.如果取组距为0.3厘米,那么由于

$$\frac{3.4}{0.3}=11\frac{1}{3},$$

得分成12组,组数合适.于是取定组距为0.3厘米,组数为12.

(3)决定分点.

使分点比数据多一位小数,并且把第1小组的起点稍微减小一点,那么,所分的12个小组可以是:

$$3.95\sim4.25,\quad 4.25\sim4.55,$$

$$4.55\sim4.85,\quad \cdots,\quad 7.25\sim7.55.$$

(4)列频率分布表.

对各个小组作频数累计,然后数频数,算频率,列频率分布表,如表8所示.

(5)画频率分布直方图(图14-3,画图方法同上例).

表8　　　　频率分布表

分组	频数累计	频数	频率
3.95～4.25	一	1	0.01
4.25～4.55	一	1	0.01
4.55～4.85	T	2	0.02
4.85～5.15	正	5	0.05
5.15～5.45	正正一	11	0.11
5.45～5.75	正正正	15	0.15
5.75～6.05	正正正正正下	28	0.28
6.05～6.35	正正下	13	0.13
6.35～6.65	正正一	11	0.11
6.65～6.95	正正	10	0.10
6.95～7.25	T	2	0.02
7.25～7.55	一	1	0.01
合计		100	1.00

从表8和图14-3看到，长度在5.75～6.05厘米的麦穗所占的比最大，达到28%，而长度在3.95～4.25、4.25～4.55、4.55～4.85、6.95～7.25、7.25～7.55等范围内的麦穗所占的比的和只有7%.

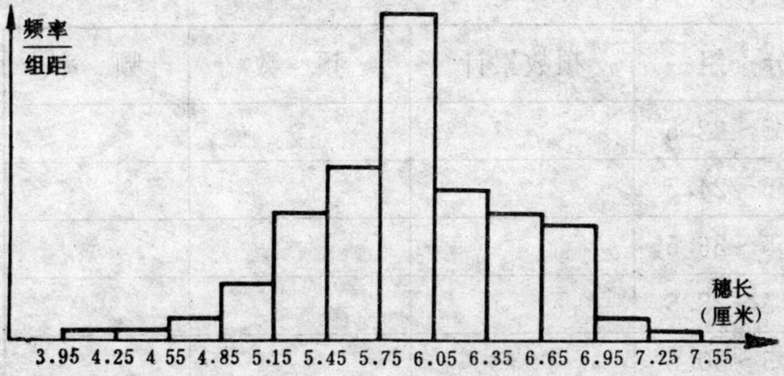

图 14-3

练 习

1. 已知50个数据的分组以及各组的频数如下：

53.5～55.5	4
55.5～57.5	7
57.5～59.5	9
59.5～61.5	11
61.5～63.5	10
63.5～65.5	6
65.5～67.5	3

列出这组数据的频率分布表，画出频率分布直方图.

2. 已知一组数据：

25 21 23 25 27 29 25 28 30 29

26 24 25 27 26 22 24 25 26 28

填写下面的频率分布表.

分　组	频数累计	频　数	频　率
20.5～22.5			
22.5～24.5			
24.5～26.5			
26.5～28.5			
28.5～30.5			
合　计			

3. 为了了解中学生的身体发育情况，对某一中学同年龄的50名男学生的身高进行了测量，结果如下(单位：厘米)：

175 168 170 176 167 181 162 173 171 177

179 172 165 157 172 173 166 177 169 181

160 163 166 177 175 174 173 174 171 171

158 170 165 175 165 174 169 163 166 166

174 172 166 172 167 172 175 161 173 167

列出样本的频率分布表，画出频率分布直方图.

习　题　14.5

A　组

1. (口答)将一批数据分组时,每个小组的频数与频率各指什么?

2. 在同一条件下,对30辆同一型号的汽车进行耗油1升所行走路程的试验,得到如下数据(单位:千米):

14.1	12.3	13.7	14.0	12.8	12.9	13.1	13.6
14.4	13.8	12.6	13.8	12.6	13.2	13.3	14.2
13.9	12.7	13.0	13.2	13.5	13.6	13.4	13.6
12.1	12.5	13.1	13.5	13.2	13.4		

列出这组数据的频率分布表.

3. 在一批棉花中抽测了60根棉花的纤维长度,结果如下(单位:毫米):

82	202	352	321	25	293	293	86	28	206
323	355	357	33	325	113	233	294	50	296
115	236	357	326	52	301	140	328	238	358
58	255	143	360	340	302	370	343	260	303
59	146	60	263	170	305	380	346	61	305
175	348	264	383	62	306	195	350	265	385

列出样本的频率分布表,画出频率分布直方图.

4. 从某批机器零件中抽测了100个，其尺寸与规定尺寸的偏差如下(单位：0.1毫米).

2	1	0	3	−1	2	1	0	−1	0
3	−2	−1	−2	1	0	0	−4	1	0
1	2	2	0	−2	1	0	−1	0	3
−1	1	0	−1	0	3	1	−2	3	−1
−3	0	0	1	4	0	−2	2	1	2
2	0	−2	0	0	−1	1	4	−2	1
1	1	4	−1	1	−1	0	2	−2	1
0	1	−1	1	0	2	2	1	0	−1
0	−1	3	1	2	−3	1	0	1	1
−2	2	1	2	−1	−2	3	1	−1	0

列出样本的频率分布表，画出频率分布直方图(提示：样本中只有9个连续整数，最多只能分成9组).

5. 一个专业组从地里抽取了100株玉米，称得各株玉米的产量如下面所示(单位：千克).

0.25	0.14	0.16	0.16	0.14	0.15	0.19	0.20	0.13	0.10
0.17	0.14	0.17	0.10	0.14	0.09	0.09	0.14	0.18	0.20
0.19	0.17	0.13	0.25	0.19	0.18	0.19	0.12	0.14	0.11
0.16	0.15	0.15	0.24	0.12	0.18	0.09	0.10	0.13	0.12
0.14	0.22	0.11	0.22	0.19	0.13	0.16	0.19	0.12	0.13
0.17	0.12	0.16	0.09	0.20	0.13	0.25	0.17	0.20	0.10
0.18	0.16	0.17	0.15	0.14	0.13	0.14	0.15	0.20	0.12
0.17	0.15	0.19	0.23	0.20	0.09	0.18	0.22	0.12	0.12
0.16	0.17	0.18	0.17	0.20	0.12	0.17	0.18	0.20	0.10
0.19	0.17	0.16	0.18	0.17	0.12	0.17	0.15	0.13	0.08

列出样本的频率分布表，画出频率分布直方图.

B 组

在一篇英语文章中，从它的第1个单词开始，每隔3个单词取1个单词，共取100个单词，数出各个单词所含的字母个数，并就字母个数列出频率分布表，画出频率分布直方图.

读一读

怎样从总体中抽取样本？

我们知道，统计方法的特点是用样本的特性去估计总体的相应特性，因此样本的抽取是否得当，直接关系到对总体的估计的准确程度.

为了使所抽取的样本具有较强的代表性，人们在实践中总结出一些抽样方法. 下面，我们介绍其中比较常用的几种方法.

1. 随机抽样.

这种抽样方法的特点是要使总体中每个个体被抽取的可能性都相同. 为实现这一点，需要将总体中的各个个体依次编上号码1，2，…，N，然后通过抽签（或其他方法）来抽取样本. 为此，要制作一套与总体中各个体号码相对应的、形状大小相同的卡片号签，并且注意在抽签之前将卡片号签均匀搅拌.

随机抽样简便易行，当总体中个体数较少时，常用这种方法.

2. 系统抽样.

当总体中个体数较多时，很难直接按照上述方法进行抽样. 这时，可将总体分成均衡的几个部分，然后按照预先定出的规则，从每一部分抽取相同个数的个体. 这种抽样叫做系统抽样.

例如，从1万名参加考试的学生成绩中抽取一个容量为100的样本，可按照学生准考证号的顺序每隔100个抽取1个. 假定在1～100的100个号码中任取1个得到的是37号，那么从37号起，每隔100个号码抽取1个号码所得到的100个号码依次是

$$37,\ 137,\ 237,\ \cdots,\ 9937.$$

当总体中个体数较多，且其分布没有明显的不均匀情况时，常采用系统抽样.

3. 分层抽样.

当总体由有明显差异的几个部分组成时，用上面两种方法抽出的样本，其代表性都不强. 这时，可将总体按差异情况分成几个部分，然后按各部分所占的比例进行抽样. 这种抽样叫做分层抽样. 例如，某农场在三块地种有玉米，其中平地种有150亩，河沟地种有30亩，坡地种有90亩. 估产时，可按照5∶1∶3(即150∶30∶90)的比例从各块地中抽取样本.

14.6 实习作业

> 1. 了解完成统计里的实习作业的一般方法和步骤.
> 2. 能按照对实习作业的要求去完成实习作业.

为了研究、解决某些问题，通常要有组织、有计划地到社会上去调查情况，搜集数据，然后对所得数据进行整理、计算和分析，得出某种结论.

例 完成下面的实习作业.

了解当地中学初中三年级男学生的身高情况.

可从其中的一所学校选取样本，样本容量为60；计算样本平均数，并据此估计当地中学初中三年级男学生的身高；列样本频率分布表和绘频率分布直方图.

解：可按如下步骤完成上述实习作业.

(1)确定抽取样本的对象.

在本例中，确定当地一个初中三年级男学生人数超过了60的一所中学作为抽取样本的对象.

(2)确定抽取样本的方法并抽取样本.

该校初中三年级的男学生共有93人，为使所取样本具有客观性，方法较多，这里采取编号抽签法.

具体做法是：将93名男学生依次编上号码1，2，…，93，通过抽签得到容量为60的样本. 再查阅相应的60名男学生的身体检查表，抄录其身高数据.

(3)计算和分析数据，写出实习报告.

实 习 报 告

年 月 日

题目	了解当地初中三年级男学生的身高情况.
具体要求	从其中的一个学校选取容量为60的样本；计算样本平均数，据此估计总体平均数；列频率分布表和绘频率分布直方图.
样本来源	当地某所中学　｜　样本容量　｜　60
获取样本方法	将该校初中三年级的93名男学生依次编上号码1，2，…，93，通过抽签得到60名男学生的编号，到校医疗室查阅他们的身体检查表，抄录其身高数据.

样本数据（单位：cm）

158	163	160	175	167	165	172	155	158	164
170	166	148	164	171	166	165	162	159	179
170	163	164	157	155	163	166	169	163	163
171	161	166	165	164	167	169	172	173	154
149	169	163	161	163	166	164	177	163	150
162	163	154	166	170	166	159	161	166	158

数据整理与计算

$$\bar{x}_{样本}=164(\text{cm})$$

频率分布表

分　组	频数累计	频　数	频　率
147.5～151.5	下	3	0.050
151.5～155.5	止	4	0.067
155.5～159.5	正一	6	0.100
159.5～163.5	正正正	15	0.250
163.5～167.5	正正正下	18	0.300
167.5～171.5	正下	8	0.133
171.5～175.5	止	4	0.067
175.5～179.5	丅	2	0.033
合计		60	1.000

（续上表）

<table>
<tr><td>数据
整理
与计算</td><td>频率分布直方图：
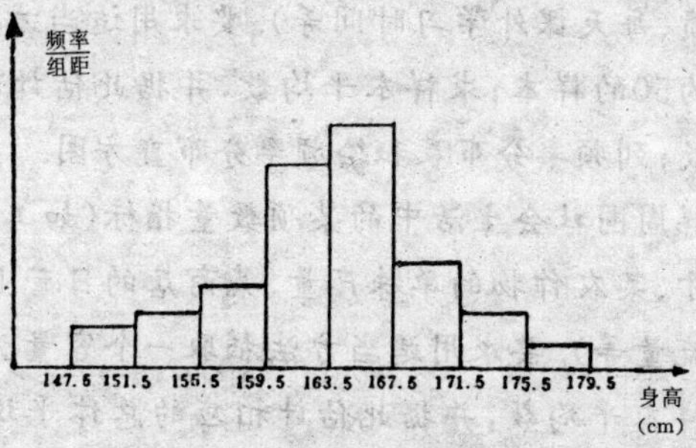
</td></tr>
<tr><td>结论</td><td>根据样本平均数可以估计，该地初中三年级男学生的平均身高约为164cm.
从样本频率分布表可以看到样本数据的分布情况.</td></tr>
<tr><td>负责人及
参加人员</td><td></td></tr>
<tr><td>计算者及
复核者</td><td></td></tr>
<tr><td>指导教师
审核意见</td><td></td></tr>
<tr><td>备　注</td><td></td></tr>
</table>

练　习

对于以下两个实习作业，可任选其一.

1. 了解本校初中三年级学生(必要时将男生、女生分开)的某种数量指标(如体重、视力、某科考试成绩、某项体育运动成绩、每天课外学习时间等). 要求用适当方法抽取一个容量为50的样本；求样本平均数，并据此估计相应的总体平均数；列频率分布表和绘频率分布直方图.

2. 了解周围社会生活中的某项数量指标(如工厂某种零件的尺寸、某农作物的单株产量、某商店的日营业额、某路口的车流量等). 要求用适当方法抽取一个容量为40的样本；计算样本平均数，并据此估计相应的总体平均数；列频率分布表和绘频率分布直方图.

小结与复习

一、内容提要

1. 这一章我们介绍了统计的一些初步知识，包括如何求一组数据的某些特征数，如何整理一组数据得到它的频率分布，以及如何根据样本的某些特性去估计总体的相应特性.

2. 平均数、众数及中位数都是描述一组数据的集中趋势的特征数，只是描述的角度不同. 其中以平均数的应用最为广泛，它反映了样本（或一组数据）和总体的平均水平. 当数据较大时，可用公式 $\bar{x}=\bar{x}'+a$ 简化平均数的计算.

3. 方差与标准差都反映了样本（或一组数据）和总体的波动大小. 它们的计算较繁，在没有计算器的情况下，一般根据简化计算公式列表进行计算.

4. 频率分布反映了样本数据（或一组数据）落在各个小范围内的比的大小. 要得到一组数据的频率分布的一般步骤是：计算最大值与最小值的差、决定组距与组数、决定分点、列频率分布表、画频率分布直方图.

5. 用一般的科学计算器可进行统计计算. 本章里安排了用计算器求平均数、标准差与方差的内容，供有条件的学校选学.

6. 由于我们所考察的总体的个体数往往很多或考察时带有破坏性，通常是从总体中抽取一个样本，通过对样本的研究来作出对总体的估计. 例如，常用样本平均数去估计总体平均数. 进行这种估计时，样本容量越大，精确性也就越高.

7. 做实习作业的一般步骤是：确定调查目的，确定抽样对象和抽样方法，抽取样本，整理与计算数据，得出结论，并在实习报告中反映上述情况.

二、学习要求

1. 了解总体、个体、样本、样本的容量等概念的意义，了解用样本估计总体的统计思想方法，知道样本容量越大，样本对总体的估计就越精确.

2. 了解平均数是衡量样本（或一组数据）和总体的平均水平的特征数. 会求一组数据的平均数，当数据较大时会用简化计算公式求其平均数. 会用样本平均数去估计总体平均数.

3. 了解众数与中位数也是描述一组数据集中趋势的特征数，会求一组数据的众数和中位数.

4. 了解方差与标准差是衡量样本（或一组数据）和总体的波动大小的特征数. 会用简化计算公式求一组数据的方差与标准差. 会根据同类问题两组数据的方差（或标准差）比较两组数据的波动情况.

5. 在有计算器的情况下，会用计算器求一组数据的平均数、标准差与方差.

6. 了解频率分布反映的是样本数据(或一组数据)落在各个小范围内的比的大小. 会整理一组数据得到它的频率分布.

7. 要根据要求，安排时间认真做好实习作业，写出实习报告.

三、需要注意的几个问题

1. 要仔细体会用样本估计总体的统计思想方法. 用样本估计总体，所作的毕竟是一种估计，这与前面所学的有确定结论的内容是有所不同的.

2. 统计是与数据打交道，整理数据的工作量较大，计算比较麻烦，学习时务必耐心、仔细，否则极易出错. 即使用计算器计算也须细心，因为只要错输入一个数据就会影响到所得结果.

3. 要从总体上去认识本章各部分内容之间的联系. 例如，样本平均数与样本方差是反映样本的两个特征数，频率分布反映了样本在整体上的分布情况. 将它们合在一起，就可使我们对样本的情况有一清楚、全面的认识.

复习题十四

A 组

1. 判断下列说法是否正确：

(1) 为了了解按同一尺寸规格生产的大衣的实际身长，从所生产的大衣中抽取了 10 件进行检测，在这个问题中，10 是所抽取的样本；

(2) 如果数据 $x_1, x_2, \cdots, x_n$ 的平均数是 $\overline{x}$，那么

$$(x_1-\overline{x})+(x_2-\overline{x})+\cdots+(x_n-\overline{x})=0;$$

(3) 8，9，10，11，11 这组数据的众数是 2；

(4) 一组数据的标准差是这组数据的方差的平方.

2. 填空：

(1) 样本方差是反映样本____的量，总体方差是反映总体________的量；

(2) 在对 n 个数据进行整理的频率分布表中，各组的频数之和等于____，各组的频率之和等于____；

(3) 801，802，…，810 这 10 个数的中位数是____，平均数是____(结果保留到小数点后第 1 位)；

(4) 10，9.9，9.8，9.7，9.6 这 5 个数的方差是____.

3. 选择题：

为了了解参加某运动会的 2 000 名运动员的年龄情况，从中抽查了 100 名运动员的年龄. 就这个问题来说，下面说法中正确的是(　　)

(A) 2 000 名运动员是总体.　(B) 每个运动员是个体.

(C) 100 名运动员是所抽取的一个样本.

(D) 样本的容量是 100.

4. 选择题：

数据 70,71,72,73 的标准差是(　　)

(A) $\sqrt{2}$.　　　　(B) 2.

(C) $\frac{\sqrt{5}}{2}$.　　　　(D) $\frac{5}{4}$.

5. 甲、乙两门炮在相同条件下向同一目标各发射 50 发炮弹，炮弹落点情况如下表所示：

炮弹落点与目标距离	40 米	30 米	20 米	10 米	0 米
甲炮发射的炮弹个数	0	1	3	7	39
乙炮发射的炮弹个数	1	3	2	3	41

分别计算两门炮所发射的炮弹落点与目标距离的平均数，从计算结果看，哪门炮射击的准确性较好(计算结果保留到小数点后第 1 位)?

6. 一个水库养了某种鱼 10 万条，从中捕捞了 20 条，称得它们的质量如下(单位:千克)：

1.15 1.04 1.11 1.07 1.10 1.32 1.25 1.19 1.15 1.21

1.18 1.14 1.09 1.25 1.21 1.29 1.16 1.24 1.12 1.16

计算样本平均数，并根据计算结果估计水库里所有这种鱼的总质量约是多少.

7. 某校男子足球队 22 名队员的年龄如下：

16　17　17　18　14　18　16　18　17　18　19

18　17　15　18　17　16　18　17　18　17　18

求这些队员年龄的众数.

8. 一个单位 14 名工作人员在某段时间内的收入如下(单位：元)：

150　200　400　400　400　450　450

500　500　500　500　600　600　1000

求全体工作人员在这段时间内的收入的中位数.

9. 为了考察甲、乙两种小麦的长势，分别从中抽取了 10 株苗，测得苗高如下(单位：厘米)：

甲	12	13	14	15	10	16	13	11	15	11
乙	11	16	17	14	13	19	6	8	10	16

(1) 分别计算两种小麦的平均苗高.

(2) 哪种小麦的 10 株苗高比较整齐？

10. 两名跳远运动员在 10 次测验比赛中的成绩分别如下(单位：米)：

甲　5.85 5.93 6.07 5.91 5.99 6.13 5.98 6.05 6.00 6.19

乙　6.11 6.08 5.83 5.92 5.84 5.81 6.18 6.17 5.85 6.21

哪名运动员 10 次测验的成绩比较稳定？

11. 从一种零件中抽取了 80 件，尺寸数据如下(单位：毫米)：

362.5 × 1　362.6 × 2　362.7 × 2　362.8 × 3

362.9 × 3　363.0 × 3　363.1 × 5　363.2 × 6

363.3 × 8　363.4 × 9　363.5 × 9　363.6 × 7

363.7 × 6　363.8 × 4　363.9 × 3　364.0 × 3

364.1 × 2　364.2 × 2　364.3 × 1　364.4 × 1

列出样本的频率分布表，画出频率分布直方图.

B 组

1. 已知在 n 个数据中，x_1 出现 f_1 次，x_2 出现 f_2 次，…，x_k 出现 f_k 次（$f_1+f_2+\cdots+f_k=n$），$\bar{x}$ 是这 n 个数据的平均数. 求证：

$$f_1(x_1-\bar{x})+f_2(x_2-\bar{x})+\cdots+f_k(x_k-\bar{x})=0.$$

2. 求自然数中从 501 到 600 这 100 个数的中位数与平均数（结果保留到小数点后第 1 位）.

3. 选择题：

一组数据的方差为 s^2，将这组数据中的每个数据都乘以 2，所得到的一组新数据的方差是（　　）

(A) $\frac{s^2}{2}$.　　　(B) s^2.

(C) $2s^2$.　　　(D) $4s^2$.

自我测验十四

（满分 100 分，时间 45 分）

1.（每小题 8 分，共 16 分）说明在以下问题中，总体、个体、样本、样本的容量各指什么.

(1) 为了了解某年一个汽车站每天上午乘车的人数，抽查了其中 20 天的每天上午的乘车人数；

(2) 为了了解某校初三年级男生 100 米跑的成绩，从中抽查了 30 名男生 100 米跑的成绩.

2. 填空（每小题 6 分，共 24 分）：

(1) $0,-1,1,-2,1$ 这组数据的众数是________，中位数是________；

(2) 已知 x_1,x_2,x_3 的平均数是 $\overline{x}$，那么 $3x_1+5,3x_2+5,3x_3+5$ 的平均数是________；

(3) 数据 $x_1,x_2,\cdots,x_n$ 的标准差是__________；

(4) 将一批数据分成 5 组列出频率分布表. 其中第 1 组的频率是0.1，第 4 组与第 5 组的频率之和是 0.3，那么第 2 组与第 3 组的频率之和是____.

3.（20 分）现对甲、乙两种安眠药进行药效对比试验. 测得 10 只某种动物在相同条件下分别服用甲药和乙药后，延长的睡眠时间如下（单位：分）：

甲	100	80	60	100	50	40	40	30	50	50
乙	90	80	80	90	70	80	70	70	80	90

哪种安眠药对 10 只动物延长的睡眠时间较长？

4. (20 分) 甲、乙两人同时生产直径为 20 毫米的一种零件. 现从他们两人生产的零件中各抽取 5 件,量得它们的直径分别如下(单位:毫米):

甲生产的零件尺寸:20.1　20.2　19.7　20.2　19.8

乙生产的零件尺寸:20.2　19.9　20.0　19.9　20.0

分别计算两个样本方差. 从计算结果看,谁生产的 5 个零件尺寸的波动较小?

5. (20 分) 已知一个样本:

7.0　6.6　6.8　7.0　7.2　7.4　7.0　7.3　7.5　7.4

7.3　7.1　7.0　6.9　6.7　7.1　7.2　7.0　6.9　7.1

填写下面的频率分布表:

分组	频数累计	频数	频率
6.55 ~ 6.75			
6.75 ~ 6.95			
6.95 ~ 7.15			
7.15 ~ 7.35			
7.35 ~ 7.55			
合计			

附录　部分习题答案

第十二章　一元二次方程

习题 12.1

A 组

1. (1)1,3,2;　(3)3,1,－2;　(5)3,0,－5.

2. (1)$6x^2+7x-3=0$,　6,7,－3;

(3)$3x^2-5x=0$,　3,－5,0;

(5)$5y^2+36y-32=0$,　5,36,－32.

B 组

1. (1)ab,c,d.　　**2.** $m+n,m-n,p-q$.

习题 12.2(1)

A 组

1. (1)$x_1=1,x_2=-1$;　　(3)$y_1=11,y_2=-11$;

(5)$x_1=\frac{1}{2},x_2=-\frac{1}{2}$;　(7)$x_1=x_2=0$.

2. (1)$x_1=-1,x_2=-9$;　(3)$y_1=\frac{8}{3},y_2=2$.

3. (1)$x_1=-2,x_2=-4$;　(3)$x_1=4,x_2=6$;

(5)$x_1=-11,x_2=9$;　(7)$x_1=\frac{2+\sqrt{7}}{3},x_2=\frac{2-\sqrt{7}}{3}$.

5. (1)$x_1=-1+\sqrt{3},x_2=-1-\sqrt{3}$;

(3)$y_1=\frac{-4+3\sqrt{2}}{2}$, $y_2=\frac{-4-3\sqrt{2}}{2}$;

(5)$x_1=\frac{3+2\sqrt{2}}{4}$, $x_2=\frac{3-2\sqrt{2}}{4}$;

(7)$y_1=1$, $y_2=-\frac{1}{3}$.

6. (1)$x_1\approx 4.54$, $x_2\approx -1.54$.

7. (1)$x_1=3\sqrt{2}$, $x_2=-3\sqrt{2}$;

(3)$x_1=2+2\sqrt{3}$, $x_2=2-2\sqrt{3}$;

(5)$x_1=\frac{-1+\sqrt{10}}{3}$, $x_2=\frac{-1-\sqrt{10}}{3}$;

(7)$x_1=\frac{3+\sqrt{105}}{12}$, $x_2=\frac{3-\sqrt{105}}{12}$.

8. (1)$x_1=1$, $x_2=-\frac{n}{m}$.

***B*组**

1. (1)$x_1=\sqrt{a}$, $x_2=-\sqrt{a}$; (3)$x_1=a+b$, $x_2=a-b$.

2. (1)$y_1=\frac{5}{2}$, $y_2=-\frac{3}{2}$; (3)$y_1=1$, $y_2=-2$.

3. (1)$x_1=0$, $x_2=a^2$.

习题 12.2(2)

***A*组**

1. (1)$x_1=-6$, $x_2=-1$; (3)$y_1=15$, $y_2=2$;

(5)$x_1=1$, $x_2=-11$; (7)$x_1=3$, $x_2=-\frac{5}{6}$;

(9)$x_1=\frac{1}{10}$, $x_2=-\frac{19}{2}$.

2. (1) $x_1=\frac{2}{m}$, $x_2=\frac{7}{5m}$.

3. (1) $x_1=1$, $x_2=2$;

(3) $x_1=-3$, $x_2=-9$;

(5) $t_1=0$, $t_2=3$;

(7) $x_1=x_2=0$;

(9) $x_1=1$, $x_2=-\frac{7}{2}$.

B **组**

1. 当 $x=3$ 或 $x=-1$ 时，y 的值等于零；

当 $x=1$ 时，y 的值等于 -4.

习题 12.3

A **组**

1. 原方程没有实数根.

3. 原方程有两个不相等的实数根.

5. 原方程有两个不相等的实数根.

B **组**

2. 当 $k=10$ 时，$x_1=x_2=\frac{3}{2}$；当 $k=2$ 时，$x_1=x_2=\frac{1}{2}$.

习题 12.4

A **组**

1. (1) $\because x_1=-5, x_1\cdot x_2=-2$,

$\therefore -5x_2=-2$，即 $x_2=\frac{2}{5}$.

$\frac{b}{5}=-(x_1+x_2), b=-5\left(-5+\frac{2}{5}\right)=23.$

2. (1) $\frac{9}{2}$；　　(3) $4\frac{1}{6}$.

3. (1) $x^2+\frac{1}{4}x-\frac{3}{4}=0$，或 $4x^2+x-3=0$.

***B* 组**

1. (1) $x_1+x_2=-\frac{b}{a}, x_1x_2=\frac{c}{a}$.

$$x_1^2+x_2^2=(x_1+x_2)^2-2x_1x_2$$
$$=\left(-\frac{b}{a}\right)^2-2\cdot\frac{c}{a}=\frac{b^2-2ac}{a^2}.$$

习题 12.5

***A* 组**

1. (1) $(5x+6)(x+1)$；　(3) $-(2x-3)(2x+5)$；
(5) $(a+16)(a+24)$；　(7) $3(2x-7)(x+2)$.

2. (1) $\left(x-\frac{1+\sqrt{5}}{2}\right)\left(x-\frac{1-\sqrt{5}}{2}\right)$；
(3) $3\left(x-\frac{-1+\sqrt{10}}{3}\right)\left(x-\frac{-1-\sqrt{10}}{3}\right)$；
(5) $2\left(x-\frac{2+\sqrt{14}}{2}\right)\left(x-\frac{2-\sqrt{14}}{2}\right)$；
(7) $(x-\sqrt{2}+\sqrt{5})(x-\sqrt{2}-\sqrt{5})$.

***B* 组**

1. (1) $(3x+5)(2x-3)$；(3) $(3x-\sqrt{2}y)(4x-\sqrt{2}y)$.

2. (1) $[mx-(m+1)][(m-1)x-m]$.

习题 12.6

***A* 组**

1. 8，2；-2，-8. 3. 10，11，12；-12，-11，-10. 5. ± 36.

7. 渠道的上口宽 2.8 米，渠底宽 1.2 米；需 25 天完成.

B 组

2. 每次降低成本 19%.

习题 12.7

A 组

1. (1)$x=\pm 1$; (3)$x=\pm 3$(增根),方程无解.

2. (1)$x_1=-3, x_2=\frac{2}{3}$. 3. (1)$x_1=-\frac{2}{3}, x_2=-\frac{3}{4}$.

5. 汽船在静水中的速度是$\frac{40}{3}$千米/时.

7. 注满水池,单独开甲管要 30 小时,单独开乙管要 45 小时.

B 组

1. (1)$x_1=c, x_2=\frac{1}{c}$;

(3)$x_1=\frac{a-b}{2}, x_2=\frac{a-4b}{5}$.

习题 12.8

A 组

1. (1)$x=3$; (3)$x_1=12, x=4$(增根).

2. (1)$x_1=73, x_2=1$(增根).

3. (1)$x_1=0, x_2=-5$; (3)$x_1=2, x_2=-3$.

B 组

1. (1) 方程无解.

习题 12.9

A 组

1. (1)$\begin{cases}x_1=\frac{2}{5},\\ y_1=-\frac{7}{5};\end{cases}$ $\begin{cases}x_2=-2,\\ y_2=1.\end{cases}$ 2. (1)$\begin{cases}x=\frac{5}{3},\\ y=-\frac{4}{3}.\end{cases}$

3. (1) $\begin{cases} x_1 = 3 + \sqrt{2}, \\ y_1 = 3 - \sqrt{2}; \end{cases}$ $\begin{cases} x_2 = 3 - \sqrt{2}, \\ y_2 = 3 + \sqrt{2}. \end{cases}$

B 组

1. (1) $\begin{cases} x_1 = 1, \\ y_1 = 4; \end{cases}$ $\begin{cases} x_2 = 4, \\ y_2 = 1. \end{cases}$ 3. 6 厘米、2 厘米.

习题 12.10

A 组

1. (1) $x + y - 5 = 0, x + y + 2 = 0.$

2. (1) $\begin{cases} x_1 = 0, \\ y_1 = 0; \end{cases}$ $\begin{cases} x_2 = \frac{4}{3}, \\ y_2 = \frac{4}{9}; \end{cases}$ $\begin{cases} x_3 = -4, \\ y_3 = 4. \end{cases}$

3. $\begin{cases} x_1 = -7, \\ y_1 = 7; \end{cases}$ $\begin{cases} x_2 = 7, \\ y_2 = -7; \end{cases}$

$\begin{cases} x_3 = \frac{5 + \sqrt{57}}{2}, \\ y_3 = \frac{-5 + \sqrt{57}}{2}; \end{cases}$ $\begin{cases} x_4 = \frac{5 - \sqrt{57}}{2}, \\ y_4 = \frac{-5 - \sqrt{57}}{2}. \end{cases}$

B 组

1. (1) $\begin{cases} x_1 = -1, \\ y_1 = -1; \end{cases}$ $\begin{cases} x_2 = \frac{7}{5}, \\ y_2 = \frac{1}{5}; \end{cases}$ $\begin{cases} x_3 = 0, \\ y_3 = \frac{1}{2}; \end{cases}$ $\begin{cases} x_4 = 1, \\ y_4 = 1. \end{cases}$

2. (1) $\begin{cases} x_1 = 4, \\ y_1 = -1; \end{cases}$ $\begin{cases} x_2 = 1, \\ y_2 = -4; \end{cases}$ $\begin{cases} x_3 = \frac{1}{2}, \\ y_3 = \frac{5}{2}; \end{cases}$ $\begin{cases} x_4 = -\frac{5}{2}, \\ y_4 = -\frac{1}{2}. \end{cases}$

复习题十二

A组

1. (1)$a^2b+ab-ab^2$；　(3)$x^3+3x^2-22x+8$.

2. (1)$2x^2+10x-28$；　(3)x^4-5x^2+4.

3. (1)0；　(3)$y-6$.

4. (1) $\frac{2x+6}{x^2-4}$；　(3) $\frac{x-10}{x^2-4}$.

5. (1)$2+\frac{3}{x}$；　(3) $\frac{2(x+2)}{3(x-1)}$.

6. (1)$37\sqrt{2x}$；　(3)$4\sqrt{x^2+x}$.

7. (1)$x=-10$；　(3)$x=-3$.

8. (1)$x=11$；　(3)$x=\frac{1}{3}$.

9. (1)$x<-\frac{1}{16}$.

10. (1)$\begin{cases}x=1,\\y=0;\end{cases}$　(3)$\begin{cases}x=5,\\y=-3;\end{cases}$　(5)$\begin{cases}x=4,\\y=6.\end{cases}$

11. (1)$x=\pm 8$；　(3)$x=\pm 2\sqrt{3}$；

(5)$y_1=3, y_2=7$；

(7)$x_1=\frac{-2+\sqrt{6}}{2}, x_2=\frac{-2-\sqrt{6}}{2}$；

(9)$x_1=-2+\sqrt{6}, x_2=-2-\sqrt{6}$；

(11)$x_1=6, x_2=-8$；

(13)$x_1=10, x_2=-2$.

12. (1)$x_1=-4, x_2=3$；　(3)$x_1=0, x_2=-\frac{13}{9}$.

13. (1) $D=\dfrac{-\pi h+\sqrt{\pi^2h^2+2\pi S}}{\pi}$;

(3) $K=\dfrac{-1+\sqrt{1+4m^2f}}{2mf}$;

(5) $b=\sqrt{c^2-a^2}$.

15. (1) $x^2-px+q=0$;

(3) $x^2-(p^2-2q)x+q^2=0$.

16. (1) $(a+12)(a-10)$;

(3) $(3x+5y)(x-2y)$;

(5) $2\left(x-\dfrac{2+\sqrt{10}}{2}\right)\left(x-\dfrac{2-\sqrt{10}}{2}\right)$.

17. (1) 矩形的长约为 36.2cm,宽约为 13.8cm.

(3) 不能制成.

19. (1) 3,4,5,6 或 −2,−1,0,1.

21. 每次倒出液体 21 升.

23. (1) $\begin{cases}x=5,\\y=2;\end{cases}$ (3) $\begin{cases}x_1=2,\\y_1=0,\end{cases}\begin{cases}x_2=-\dfrac{10}{13},\\y_2=-\dfrac{54}{13}.\end{cases}$

B **组**

1. (1) $x_1=3, x_2=-3, x_3=2\sqrt{2}, x_4=-2\sqrt{2}$;

(3) $x_1=2, x_2=-1, x_3=-2, x_4=3$;

(5) $x_1=-1, x_2=-2, x_3=2, x_4=-5$.

2. (1) $(\sqrt{3}a-\sqrt{2})(a-\sqrt{2})$;

(3) $(x^2+2)(x+\sqrt{3})(x-\sqrt{3})$;

(5) $[3x-(2-\sqrt{3})y][3x-(2+\sqrt{3})y]$.

3. (1) $\begin{cases} a = 2, \\ b = 3. \end{cases}$

4. (1) 当 $m = \dfrac{1}{2}$ 时，方程组有一个实数解，方程组的解为

$$\begin{cases} x = \dfrac{1}{4}, \\ y = 1. \end{cases}$$

自我测验十二

1. (1) 一元二次方程；

$x_1 = \dfrac{-b + \sqrt{b^2 - 4ac}}{2a}$,

$x_2 = \dfrac{-b - \sqrt{b^2 - 4ac}}{2a}$, $-\dfrac{b}{a}$, $\dfrac{c}{a}$.

(2) 16, 4; $\dfrac{9}{16}$; $-\dfrac{3}{4}$.

(3) 两个实数根.

2. (1) $x = \pm 7$; (2) $x_1 = 2, x_2 = -1$;

(3) $x_1 = 4, x_2 = -\dfrac{1}{3}$; (4) $y_1 = 1, y_2 = -\dfrac{2}{3}$;

(5) $x = \sqrt{3}$; (6) $x_1 = 2 + \sqrt{7}, x_2 = 2 - \sqrt{7}$.

3. (1) $x_1 = \dfrac{11 + \sqrt{97}}{4}, x_2 = \dfrac{11 - \sqrt{97}}{4}$; (2) $x_1 = 2, x_2 = \dfrac{3}{2}$.

4. (1) $\begin{cases} x_1 = 4, \\ y_1 = 1, \end{cases} \begin{cases} x_2 = 1, \\ y_2 = 4; \end{cases}$

(2) $\begin{cases} x_1 = 3\sqrt{2}, \\ y_1 = \sqrt{2}, \end{cases} \begin{cases} x_2 = -3\sqrt{2}, \\ y_2 = -\sqrt{2}. \end{cases}$

5. (1) $x(11 - x) = 24$.

这两个数是 3 和 8.

(2) $200+200(1+x)+200(1+x)^2=1\ 400$.

$x_1=1, x_2=-4$(舍去).

这个百分数是100%,或说每年比前一年增长1倍.

附加题

(1)A.　(2)$x_1=1, x_2=3$.

第十三章　函数及其图象

习题 13.1

A 组

1. A:(−4,3),第三象限. C:(−5,−4),第三象限.

E:(−3,0),x轴. G:(0,0),原点.

3. A:第三象限. C:第二象限. E:x轴. G:x轴.

4. (1)(5,3);(3)(2,4).

5. 第一象限:+,+. 第三象限:−,−.

6. (1)0.　　**7.** (1) 四.

B 组

1. (1)$D(-4,4)$.

2. $(\sqrt{2},0),(0,\sqrt{2}),(-\sqrt{2},0),(0,-\sqrt{2})$.

习题 13.2

A 组

1. (1) 变量为S,R,常量为4π;

(3) 变量为h,t,常量为v_0,4.9.

2. (1)$V=10a^2$,自变量是a,函数是V;

(3)$t=20-6h$，自变量是 h，函数是 t.

3. (1) 任意实数；(3)$x\neq-2$ 且 $x\neq3$；(5)$x\geqslant\frac{5}{2}$.

4. $m=n+19$，$1\leqslant n\leqslant25$ 且 n 是正整数.

5. (1)18，$-\frac{9}{4}$；　　(3)0，$-\frac{9}{5}$.

7. (1) $\frac{5}{3}$；　　(3)1，$-\frac{1}{2}$.

***B* 组**

1. (1)$V=2\pi R^3$，$R>0$.　**2.** $a=9$，$b=-2$.

习题 13.3

***A* 组**

4. (1) 依次为：5℃，11℃，10℃；

(3)14 时最高，4 时最低.

习题 13.4

***A* 组**

1. $y=0.15x$.

3. $y=100+0.6x$，102.4 元.

***B* 组**

2. $y=2.4+(t-3)=t-0.6$.

习题 13.5

***A* 组**

3. (1) 依次为：6，9，$13\frac{1}{2}$；(3)$x=-4$.

4. (1)$k=-0.6, b=6.6$.

5. $y=0.5x+12$.　　　　　**6.** (1)$y=2x+3$.

***B* 组**

1. (1)$x>-4$.

2. $y=-0.5x+7$.

3. (1) 当 $k>0$ 时，$y=kx$ 的图象过第一、三象限，当 $k<0$ 时，$y=kx$ 的图象过第二、四象限.

习题 13.6

***A* 组**

1. (3) 是一次函数，(1) 是二次函数.

2. (1)$V=\frac{1}{4\pi}hC^2$.

3. (1) 依次为 4.0，5.8，2.9；

(3) 依次为 ±1.4，±2.4；　(5)(0，0).

***B* 组**

1. y 随 x 的增大而增大.

2. 有，是最大值，这个值是 0.

习题 13.7

***A* 组**

2. (1) $y=(x-1)^2-4$，开口向上，对称轴是 $x=1$，顶点是 $(1, -4)$；

(3) $y=2\left(x-\frac{3}{4}\right)^2+\frac{23}{8}$，开口向上，对称轴是 $x=\frac{3}{4}$，顶点是 $\left(\frac{3}{4}, \frac{23}{8}\right)$；

(5) $y=\frac{1}{2}(x-2)^2-1$,开口向上,对称轴是 $x=2$,顶点是 $(2,-1)$;

(7) $y=-\left(x-\frac{n}{2}\right)^2+\frac{n^2}{4}$,开口向下,对称轴是 $x=\frac{n}{2}$,顶点是 $\left(\frac{n}{2},\frac{n^2}{4}\right)$.

3. (1) 开口向下,对称轴是 $x=2$,顶点是 $(2,9)$;

(3) $y=-2(x-2)^2+2$,开口向下,对称轴是 $x=2$,顶点是 $(2,2)$.

4. (1) 有最高点,坐标是 $\left(\frac{3}{8},\frac{9}{16}\right)$.

5. (1) $y=x^2+2$; (3) $y=\frac{5}{4}x^2-\frac{5}{2}x-\frac{15}{4}$.

6. 开口向下,对称轴是 $x=3$,顶点是 $(3,10)$.

***B* 组**

1. (1) $(0,-3)$, $\left(-\frac{1}{4},0\right)$与 $(3,0)$.

2. (1) 方程 $x^2-2x-3=0$ 的解是 $x=-1$, $x=3$;

(3) 当 $-1<x<3$ 时,$y<0$.

3. (2) 10m.

4. (1) $y=-2x^2+50x$;

(3) $x=12.5$(m) 时,长方形面积最大.

习题 13.8

***A* 组**

1. (1) $a=\frac{24}{h}$. **3.** (1) 一、三,减小.

4. (1) $\rho=\frac{9.9}{V}$.

6. 125.

B 组

1. (1) $y=-\frac{9}{x}$.　　2. $y=5x+\frac{36}{x^2}$.

3. 当 $x=4$ 时，$y=\frac{17}{2}$.

复习题十三

A 组

1. (1) $(a,-b)$，$(-a,-b)$.

2. (1) 任意实数；　　(3) $x\neq-\frac{1}{3}$ 且 $x\neq\frac{1}{2}$；

(5) $x\geqslant-\frac{5}{3}$；　　(7) $x>\frac{1}{2}$.

4. (1) 减小.　　5. (1) $y=\frac{7}{5}x$.

6. (1) $x=5$；(3) $x<5$.　　8. (1) $y=\frac{7}{8}x^2+2x+\frac{1}{8}$.

9. (1) $y=(x-4)^2-36$，开口向上，对称轴是 $x=4$，顶点是 $(4,-36)$；

(3) $y=\left(x+\frac{1}{4}\right)^2+\frac{1}{16}$，开口向上，对称轴是 $x=-\frac{1}{4}$，顶点是 $\left(-\frac{1}{4},\frac{1}{16}\right)$.

10. (1) $x=1$，$x=3$；　(3) $1<x<3$.

12. (1) 一、二、四.　　13. (1) 减小.

14. (1) $y=-\frac{6}{x}$.　　15. (1) $y=\frac{4}{3}x^2$.

B 组

1. $(0,1)$.　　2. (1) $-\frac{1}{2}$.

3. (1) 求得纵坐标是$\frac{4ac-b^2}{4a}$.　4. (1)4.

6. (1)$S=-a^2+12a$;(3) 当 $a=6$ 时,S 最大.

8. (1) $>$, $>$;　(2) $<$.

自我测验十三

1. (1)$x<\frac{1}{2}$;　(2)4,12;

   (3) $\frac{1}{9}$;　(4) $\pm\frac{\sqrt{6}}{3}$;　(5) 不在.

2. (1)B;　(2)C.

3. (1)$y=\frac{2}{21}x+\frac{1}{21}$;　(2)$y=\frac{5}{2x^2}$.

4. (1) $y=-\left(x-\frac{3}{4}\right)^2+\frac{9}{8}$,开口向下,对称轴是 $x=\frac{3}{4}$,顶点是$\left(\frac{3}{4},\frac{9}{8}\right)$;

   (2) $y=\frac{1}{6}\left(x-\frac{1}{2}\right)^2-\frac{121}{24}$,开口向上,对称轴是 $x=\frac{1}{2}$,顶点是$\left(\frac{1}{2},-\frac{121}{24}\right)$.

5. $y=2.5x+15$,年产值可达到 18.75 万元.

6. (1)$y=\frac{90}{x}$;　(2)7.5cm.

附加题

$$y=-\frac{1}{5}x^2+\frac{19}{5}.$$

第十四章　统计初步

习题 14.1

A 组

1. 41.4(岁). **2.** 9.45(分). **3.** (1)9.46. **4.** 169(厘米).

5. 8.4(环). **6.** 82(分). **9.** 195(辆). **10.** 708(人).

11. $\bar{x}_{甲} \approx 418$,$\bar{x}_{乙} \approx 384$,这表明在10个试验点甲品种的平均亩产量比乙品种高.

B 组

1. (1)$8\bar{x}$.

习题 14.2

A 组

1. 9(环). **2.** 9.5(分). **3.** 1.2,0.8.

B 组

1. 有可能.

习题 14.3

A 组

1. (1)2. **2.** (1)6.7,2.6; (3)666.7,25.8.

3. $\bar{x}_{甲} = 1.5$,$\bar{x}_{乙} = 1.2$,$s^2_{甲} = 1.65$,$s^2_{乙} = 0.76$,表明在10天生产中乙出次品的平均数较少,出次品的波动较小.

4. $s^2_{甲} = 38.05$,$s^2_{乙} = 7.96$,可知乙包装机包装的10袋糖果的质量比较稳定.

5. $s^2_{甲} \approx 141.7$,$s^2_{乙} \approx 433.3$,可知六年中甲种水稻的产量比较稳定.

6. $s^2_{前年} = 37.29$,$s^2_{今年} = 12.41$,可知今年饲养的10头猪的体长

比较一致.

***B*组**

1. (1) 尽管(2) 中的各数据比(1) 中的各数据都大10,但两组数据的方差与标准差分别相同;

(3) (4) 中数据的方差、标准差分别是(1) 中数据的方差、标准差的 2^2 倍和2倍.

习题14.5

***A*组**

2. 最大值与最小值的差是2.3,可取组距为0.4,将数据分成6组.

3. 可以取组距为50,分成8组.

4. 分成9组.

5. 可以取组距为0.02分为9组,样本的频率分布表如下:

分　组	频数累计	频　数	频　率
0.075-0.095	正一	6	0.06
0.095-0.115	正丅	7	0.07
0.115-0.135	正正正下	18	0.18
0.135-0.155	正正正一	16	0.16
0.155-0.175	正正正正一	21	0.21
0.175-0.195	正正正一	16	0.16
0.195-0.215	正下	8	0.08
0.215-0.235	正	4	0.04
0.235-0.255	正	4	0.04
合　计		100	1.00

复习题十四

A 组

1. (1) 错； (3) 错.

2. (1) 波动大小,波动大小； (3) 都是 805.5. **3.** D. **4.** C.

5. $\overline{x}_{甲} = 3.2$(米),$\overline{x}_{乙} = 4.0$(米),可以知道甲炮射击的准确性较好.

6. $\overline{x} \approx 1.17$,水库里鱼的总质量约为 1.17×10^5(千克).

7. 18(岁).

8. 475 元.

9. (1)$\overline{x}_{甲} = 13$(厘米),$\overline{x}_{乙} = 13$(厘米).

10. 可算得 $s^2_{甲} < x^2_{乙}$,由此知甲运动员 10 次测验的成绩比较稳定.

11. 可取组距为 0.2,分成 10 组.

B 组

2. 都是 550.5. **3.** D.

自我测验十四

1. (1) 在这一年中,每天上午在该汽车站乘车的人数的全体是总体,其中每天上午的乘车人数是个体,所抽查的 20 天的每天上午的乘车人数是从总体中抽取的一个样本,样本的容量是 20；

(2) 该校初三年级所有男生 100 米跑的成绩的全体是总体,其中每个男生 100 米跑的成绩是个体,所抽查的 30 个男生的 100 米跑的成绩是从总体中抽取的一个样本,样本的容量是 30.

2. (1)1,0； (2)$3\overline{x} + 5$；

(3) $\sqrt{\frac{1}{n}[(x_1-\overline{x})^2+(x_2-\overline{x})^2+\cdots+(x_n-\overline{x})^2]}$;

(4)0.6.

3. $\overline{x}_甲=60$(分),$\overline{x}_乙=80$(分),这表明乙种安眠药对10只动物延长的睡眠时间较长.

4. $s_甲^2=0.044$,$s_乙^2=0.012$,$s_乙^2<s_甲^2$,表明乙生产的5个零件尺寸的波动较小.

5.

分　组	频数累计	频　数	频　率
6.55～6.75	丅	2	0.1
6.75～6.95	下	3	0.15
6.95～7.15	正下	8	0.40
7.15～7.35	正	4	0.20
7.35～7.55	下	3	0.15
合　计		20	1.00

(京）新登字 113 号

九年义务教育三年制初级中学教科书

代 数

第三册

人民教育出版社中学数学室 编著

*

人民教育出版社出版
广东省出版总公司重印
广东省新华书店发行
广东出版技校彩印厂印刷

*

开本 787×1092 1/32 印张 7.5 字数 124,000
1994 年 10 月第 1 版 1997 年 4 月第 6 次印刷
印数 2,420,501—2,736,000 （97 秋）
ISBN7—107—02280- 6/G·4116（课） 定价 3.75 元